ख़ैयाम की मधुशाला

इस पुस्तक का पहला और दूसरा संस्करण सुषमा निकुंज से, तीसरा संस्करण भारती भंडार और चौथा संस्करण सेंट्रल डिपो, प्रयाग से प्रकाशित हुआ था।

स्थापित 1912
100 वर्षों की श्रेष्ठ प्रकाशन परम्परा
राजपाल

₹ 145

ISBN : 9788170284253

संस्करण : 2016 © हरिवंशराय बच्चन

KHAYYAM KI MADHUSHALA (Poetry)

by Harivanshrai Bachchan

मुद्रक : दीपिका एन्टरप्राइज़ेज, दिल्ली

राजपाल एण्ड सन्ज़

1590, मदरसा रोड, कश्मीरी गेट-दिल्ली-110006

फोनः 011-23869812, 23865483, फैक्सः 011-23867791

e-mail : sales@rajpalpublishing.com

www.rajpalpublishing.com

www.facebook.com/rajpalandsons

ख़ैयाम की मधुशाला

हरिवंशराय 'बच्चन'

राजपाल

भूमिका

(तीसरे संस्करण की)

आज लगभग बारह बरस हुए जब मैंने फ़िट्ज़जेरल्ड के 'रुबाइयात उमर ख़ैयाम' के पहले संस्करण का उल्था हिन्दी में किया था। लगभग दस बरस इसको छपे हुए भी हो चुके हैं। इसके पहले संस्करण के साथ ही अपने अनुवाद, फ़िट्ज़जेरल्ड के अंग्रेज़ी रूपान्तर और उमर ख़ैयाम के बारे में मैं कुछ कहना चाहता था, लेकिन दूसरे संस्करण के साथ भी इसकी नौबत न आई। भूमिका रूप में कुछ लिखा हुआ मेरे पास बहुत दिन से पड़ा था, इधर मैंने कुछ और किताबों से भी मसाला इकट्ठा कर लिया था। भला हो नए पेपर कंट्रोल आर्डर का, किताब का संस्करण खत्म हुए दो साल से ऊपर हो गया था और प्रेस वाले कान में तेल डालकर बैठे हुए थे। नए संस्करण की प्रेस-कापी तैयार करके मैं भेज भी देता तो उसके जल्दी छपने की कोई सूरत नहीं थी। किताब के जल्दी न छप सकने पर मन में कुढ़ते हुए भी प्रेस-कापी तैयार करने के लिए जो मुझे मनमाना समय मिला, उसका मैंने स्वागत ही किया। और इस तरह आराम के साथ मैं यह भूमिका और टिप्पणी लिख सका। अगर इनमें मेरे पाठकों को कुछ काम की बात मिले तो उसके लिए उन्हें इस नए पेपर कंट्रोल आर्डर को ही धन्यवाद देना चाहिए।

उमर ख़ैयाम के नाम से मेरी पहली जान-पहचान की एक बड़ी मज़ेदार कहानी है। उमर ख़ैयाम का नाम मैंने आज से लगभग पच्चीस बरस हुए तब जाना था। उस समय मैं वर्नाक्यूलर अपर प्राइमरी के तीसरे या चौथे दरजे में रहा हूँगा। हमारे पिता जी 'सरस्वती' मँगाया करते थे। पत्रिका के आने पर मेरा और मेरे छोटे भाई का पहला काम यह होता था कि उसे खोलकर उसकी तसवीरों को देख डालें। उन दिनों रंगीन तसवीर एक ही छपा करती थी, पर सादे चित्र, फोटो इत्यादि कई रहते थे। तसवीरों को देखकर हम बड़ी उत्सुकता से उस दिन की बाट देखने लगते थे जब पिता जी और उनकी मित्र मंडली इसे पढ़कर अलग रख दें। ऐसा होते-होते दूसरे महीने की 'सरस्वती' आने का समय आ जाता था। उन लोगों के पढ़ चुकने

पर हम दोनों भाई कैंची और चाकू लेकर सरस्वती देवी के साथ इस तरह जुट जाते थे जैसे मेडिकल कॉलिज के विद्यार्थी मुर्दों के साथ। एक-एक करके सारी तसवीरें काट लेते थे। तसवीरें काट लेने के बाद पत्रिका का मोल हमको दो कौड़ी भी अधिक जान पढ़ता। चित्रों के काटने में जल्दबाज़ी करने के लिए, अब तक याद है, पिता जी ने कई बार गोशमाली भी की थी।

उन्हीं दिनों की बात है, किसी महीने की 'सरस्वती' में एक रंगीन चित्र छपा था; एक बूढ़े मुसलमान की तसवीर थी, चहरे से शोक टपकता था; नीचे छपा था—उमर खैयाम। रुबाइयात के किस भाव को दिखाने के लिए यह चित्र बनाया गया था, इसके बारे में कुछ नहीं कह सकता क्योंकि इस समय चित्र की कोई बात याद नहीं है सिवा इसके कि एक बूढ़ा मुसलमान बैठा है और उसके चेहरे पर शोक की छाया है। हम दोनों भाइयों ने चित्र को साथ ही साथ देखा और नीचे पढ़ा 'उमर ख़ैयाम'। मेरे छोटे भाई मुझसे पूछ पड़े, 'भाई, उमर ख़ैयाम क्या?' अब मुझे भी नहीं मालूम था कि उमर खैयाम के क्या माने हैं। लेकिन मैं बड़ा ठहरा, मुझे अधिक जानना चाहिए, जो बात उसे नहीं मालूम है वह मुझे मालूम है, यही दिखाकर तो मैं अपने बड़े होने की धाक उस पर जमा सकता था। मैं चूकने वाला न था। मेरे गुरु जी ने यह मुझे बहुत पहले सिखा रखा था कि चुप बैठने से ग़लत जवाब देना अच्छा है। मैंने अपनी अक्ल दौड़ाई और चित्र देखते ही देखते बोल उठा, "देखो, यह बूढ़ा कह रहा है—उमर ख़ैयाम, जिसके अर्थ हैं 'उमर खत्याम' अर्थात् उमर खतम होती है, यही सोचकर बूढ़ा अफ़सोस कर रहा है।" उन दिनों संस्कृत भी पढ़ा करता था; 'खैयाम' में कुछ 'क्षय' का आभास मिला होगा और उसी से कुछ ऐसा भाव मेरे मन में आया होगा। बात टली, मैंने मन में अपनी पीठ ठोंकी, हम और तसवीरों को देखने में लग गए।

पर छोटे भाई को आगे चलकर जीवन का ऐसा क्षेत्र चुनना था जहाँ हर बात को केवल ठीक ही ठीक जानने की ज़रूरत होती है, जहाँ कल्पना, अनुमान या क़यास के लिए सुई की नोक के बराबर भी जगह नहीं है। लड़कपन से ही उनकी आदत हर बात को ठीक-ठीक जानने की ओर रहा करती थी। उन्हें कुछ ऐसा आभास हुआ कि मैं बेपर की उड़ा रहा हूँ। शाम को पिता जी से पूछ बैठे। पिताजी ने जो कुछ बतलाया उसे सुनकर मैं झेंप गया। मेरी झेंप को और अधिक बढ़ाने के लिए छोटे भाई बोल उठे, "पर भाई तो कहते हैं कि वह बूढ़ा कहता है कि उमर खतम होती है—उमर ख़ैयाम यानी उमर खत्याम।" पिता जी पहले तो हँसे, पर फिर गम्भीर हो गए; मुझसे बोले, "तुम ठीक कहते हो, बूढ़ा सचमुच यही कहता है।" उस दिन मैंने यही समझा कि पिता जी ने मेरा मन रखने के लिए ऐसा कह दिया है, वास्तव में मेरी सूझ ग़लत थी।

उमर ख़ैयाम की वह तसवीर बहुत दिनों तक मेरे कमरे की दीवार पर टँगी

रही। जिस दुनिया में न जाने कितनी सजीव तसवीरें दो दिन चमककर खाक में मिल जाती हैं उसमें उमर खैयाम की निर्जीव तसवीर कितने दिनों तक अपनी हस्ती बनाए रख सकती थी। किसी दिन हवा के झोंके या नौकर की झाड़ू से रद्दी काग़ज़ों की टोकरी में गिर गई होगी और वहाँ से कूड़ेखाने में पहुँचकर सड़-गल गई होगी। उमर ख़ैयाम की तसवीर तो मिट गई पर मेरे हृदय पर एक अमिट छाप छोड़ गई। उमर ख़ैयाम और उमर खतम होती है, यह दोनों बातें मेरे मन में एक साथ जुड़ गईं। तब से जब कभी भी मैंने 'उमर ख़ैयाम' का नाम सुना या लिया, मेरे हृदय में वही टुकड़ा 'उमर खतम होती है' गूँज उठा। यह तो मैंने बाद को जाना कि अपनी ग़लत सूझ में भी मैंने इन दो बातों में एक बिलकुल ठीक सम्बन्ध बना लिया था।

बहुत दिनों के बाद एकाएक फ़िट्ज़जेरल्ड की 'रुबाइयात उमर खैयाम' पढ़ते हुए मेरी नज़र इन सतरों पर ठहर गई :

Oh, Come with old Khayyam, and leave the wise
To talk: one thing is certain, that life flies:
One thing is certain, and the Rest is Lies:
The Flower that once has blown for ever dies.

(26वीं रुबाई)

Life Flies = उमर खतम होती है। उमर ख़ैयाम को केवल एक बात का निश्चय है कि उमर खतम होती है। मुझे अपने लड़कपन की बात याद आ गई, क्या उमर ख़ैयाम के इस मूल निश्चय पर इतने दिनों पहले मैं अपनी स्वाभाविक सूझ से पहुँच गया था? क्या उस दिन पिता जी के कानों में यही लाइन—One thing is certain, that Life flies गूँज उठी थी जो उन्होंने मुझसे कहा था कि, हाँ, यह बूढ़ा सचमुच यही कहता है कि उमर खतम होती है? तब तो उमर खैयाम का अर्थ समझने में मैं सच से बहुत दूर न था। इस प्रकार उमर खैयाम का नाम और उसका मूल सिद्धान्त आज से पच्चीस बरस पहले मेरे मन में अपनी जड़ जमा चुका था। साथ ही साथ उमर ख़ैयाम की कविता के साधारण वातावरण का भी कुछ-कुछ आभास मुझे मिल चुका था। वह इस प्रकार–

पिता जी ने उमर ख़ैयाम के बारे में केवल इतना बतलाया था कि यह फ़ारसी का एक कवि है। इसने अपनी कविता रुबाइयों में लिखी है जैसे तुलसीदास ने चौपाइयों में। रुबाई का शाब्दिक अर्थ ही चौपाई है। पिता जी ने कितनी बारीकी से यह बात बता दी थी, अब समझ में आता है। 'उमर ख़ैयाम' की ध्वनि का अर्थ जैसे अपने आप ही मेरे मन में बैठ गया था, उसी तरह 'रुबाई' शब्द' का भी हुआ। मुझे यह 'रुबाई' शब्द, 'रोवाई' शब्द का भाई-सा जान पड़ा–हम अपने घरों में बोली जाने वाली अवधी मे खड़ी बोली के 'रुलाई' शब्द को 'रोवाई' कहते हैं। मुझे ऐसा लगा जैसे रुबाइयों में उमर ख़ैयाम का रोना होगा। कोई ऐसी बात कही गई होगी जिससे

कवि का शोक, विषाद प्रकट होता होगा। पर मैंने इसे ज़ाहिर न होने दिया। दूध का जला मट्ठा भी फूँक-फूँककर पीता है। एक बार लजा चुका था, अपनी और हँसी नहीं कराना चाहता था। लेकिन मन में रुबाइयों के लिए जो धारणा बन गई थी वह तो बनी ही रही। इस मनोरंजक घटना के सात-आठ बरस बाद जब मैंने उमर खैयाम की रुबाइयों को पहली बार पढ़ा, तो मुझे अच्छी तरह याद है कि मैंने उनमें किसी रोदन, किसी वेदना या किसी निराशा की प्रत्याशा करते हुए पढ़ा था। मेरी यही प्रत्याशा कहाँ तक पूरी हुई होगी इसे 'रुबाइयात उमर खैयाम' का हरेक पाठक अपने आप समझ सकता है। मुमकिन है, यहाँ मेरी बात काटकर कुछ लोग मुझसे अपनी असहमति जताएँ। साधारण जनता के बीच, और इसमें प्रायः ऐसे लोग अधिक हैं जिन्होंने उमर खैयाम की कविता स्वयं नहीं पढ़ी, बस यदा-कदा दूसरों से उसकी चर्चा सुनी है, या कभी उसके भावों को व्यक्त करने वाले चित्रों को उड़ती नज़र से देखा है, कवि की एक और ही तसवीर घर किए हुए है। उनके ख़याल में उमर खैयाम आनन्दी जीव है, प्याली और प्यारी का दीवाना है, मस्ती का गाना गाता है, सुखवादी है या जिसे अंग्रेज़ी में 'हिडोनिस्ट' या 'एपीक्योर' कहेंगे। इतिहासी व्यक्ति उमर खैयाम ऐसा ही था या इससे विपरीत, इस पर मुँह खोलने का मुझे हक़ नहीं है। फ़ारसी की रुबाइयों में उमर ख़ैयाम का जो व्यक्तित्व झलका है, उस पर अपनी राय देने का मैं अधिकारी नहीं हूँ क्योंकि फ़ारसी का मेरा ज्ञान बहुत कम है। लेकिन, एडवर्ड फ़िट्ज़जेरल्ड ने उन्नीसवीं सदी के मध्य में अपने अंग्रेज़ी तरजुमे के अन्दर उमर खैयाम का जो खाका खींचा है उसके बारे में बिना किसी संकोच या सन्देह के मैं कह सकता हूँ कि वह किसी सुखवादी आनन्दी जीव अथवा किसी हिडोनिस्ट या 'एपीक्योर' का नहीं है।

इन रुबाइयों का लिखने वाला वह व्यक्ति है जिसने मनुष्य की आकांक्षाओं को संसार की सीमाओं के अन्दर घुटते देखा है, जिसने मनुष्य की प्रत्याशाओं को संसार की प्राप्तियों पर सिर धुनते देखा है, जिसने मनुष्य के सुकुमार स्वप्नों को संसार के कठोर सत्यों से टक्कर खाकर चूर-चूर होते देखा है। इन रुबाइयों के अन्दर एक उद्विग्न और आर्त आत्मा की पुकार है, एक विषण्ण और विपन्न मन का रोदन है, एक दलित और भग्न हृदय का क्रन्दन है। संक्षेप में कहना चाहें तो यह कहेंगे कि रुबाइयात मनुष्य की जीवन के प्रति आसक्ति और जीवन की मनुष्य के प्रति उपेक्षा का गीत है—रुबाइयों का क्रम जैसा रक्खा गया है उससे वे अलग-अलग न रहकर एक लम्बे गीत के ही रूप में हो गई हैं। यह गीत जीवन-मायाविनी के प्रति मानव का ऐकांतिक प्रणय निवेदन है। पर कौन सुनता है? वह अपना क्रोध-विरोध प्रकट करता है—पर उसे हार ही माननी पड़ती है। मानव की दुर्बलता, उसकी असमर्थता, उसकी परवशता, उसकी अज्ञानता और उसकी लघुता के साथ उसका दम्भ, उसका क्रोध-विरोध और उसकी क्रान्ति उसे कितना दयनीय बना देती है! रुबाइयात सुख

का नहीं दुख का गीत है, सन्तोष का नहीं असन्तोष का गान है। अंग्रेज़ी लेखक जी. के. चेस्टरटन ने लिखा है कि Omar's philosophy is not the philosophy of happy people but of unhappy people. अर्थात् उमर खैयाम की फ़िलासफ़ी सुखियों की फ़िलासफ़ी नहीं दुखियों की फ़िलासफ़ी है। और क्या ऐसा भी है कि मनुष्य हो और दुखी न हो? सदा नहीं तो कम से कम एक समय, और तब वह अवश्य उमर ख़ैयाम के विचारों की ओर खिंच जाता है। उमर खैयाम की रुबाइयों को पढ़कर मुझे अपनी स्वाभाविक बुद्धि पर आश्चर्य था, जिसने उनमें निहित विचारों की छाया 'रुबाई' शब्द में ही देख ली थी।

'रुबाइयात उमर ख़ैयाम' को पहले पहल फ़िट्ज़जेरल्ड के अनुवाद से पढ़ने का भी एक विशेष अवसर था। सम्भवतः 1925-26 की बात थी। उस समय मैं गवर्नमेंट इंटरमीडिएट कॉलिज, प्रयाग, में एफ. ए. क्लास में पढ़ता था। उन दिनों कॉलिज में एक लिटरेरी सोसाइटी थी। इस समिति की ओर से महीने में दो बार, हर दूसरे शनिवार को, व्याख्यान तथा वाद-विवाद हुआ करते थे जिसमें कॉलिज के अध्यापक तथा विद्यार्थी सभी भाग लिया करते थे। एक दिन हमारी समिति के मन्त्री श्रीयुत ब्रजकुमार नेहरू की ओर से यह सूचना मिली कि अमुक शनिवार को श्रीयुत शिवनाथ काटजू 'रुबाइयात उमर ख़ैयाम' पर अपना लेख सुनाएंगे। श्रीयुत शिवनाथ काटजू प्रयाग के प्रसिद्ध एडवोकेट डॉ. कैलाशनाथ काटजू के सुपुत्र हैं। उस समय आप मेरे सहपाठी थे। शिवनाथ जी के लेख को समझने के लिए ही मैंने 'रुबाइयात उमर खैयाम' को पढ़ने की जल्दी की। रुबाइयात में जो कुछ पाने की आशा मैंने की थी, वही मुझको मिली। रुबाइयात पढ़कर मुझे ऐसा लगा जैसे मेरे हृदय में एक वृक्ष उग आया जिसके बीज उससे सात-आठ साल पहले पड़ चुके थे। शिवजी–हम क्लास में उन्हें इसी नाम से पुकारते थे–के लेख ने इस वृक्ष में पहले पानी का काम किया।

'रुबाइयात उमर ख़ैयाम' के उस पहले पाठ से ही मैंने उसका रूपान्तर करना आरम्भ किया या अगर मैं अधिक सच्चाई से काम लूँ तो कहूँगा कि उस प्रथम पाठ से ही मेरे मन में उसका अनुवाद होना शुरू हुआ। यह एक स्वाभाविक बात है कि जब हम किसी अन्य भाषा को सीखना आरम्भ करते हैं तो जो कुछ हम उसमें पढ़ते हैं उसे समझने को हम मन ही मन अपनी भाषा में उसका अनुवाद करते जाते हैं। एफ. ए. पास करके बी. ए. में पहुँचा, बी. ए. पास करके. एम. ए. में; बहुत कुछ पढ़ना था, यदा-कदा रुबाइयात पर भी नज़र दौड़ा ली, पर अभी तक उमर खैयाम की कविता का मेरा ज्ञान केवल शाब्दिक था। कविता का अर्थ मैं जानता था, परन्तु किसी कविता के अर्थ को समझ लेना उसे समझने के कार्य का सबसे सरल भाग है। शब्दों के पर्दे को उठाकर कवि की भावनाओं को हृदयंगम करना कठिन काम है। साधारण ज्ञान और बुद्धि रखनेवाला मनुष्य भी कठिन से कठिन कविता के शाब्दिक

अर्थ को प्रयत्न करने से जान सकता है, परन्तु भावनाओं को समझने के काम में बुद्धि और ज्ञान कुछ भी काम नहीं देते। किसी कविता का अर्थ तटस्थ रहकर भी जाना जा सकता है पर भावनाओं को समझने के लिए अपने को कवि के साथ एक करना पड़ता है। साहित्य को समझने के लिए जीवन के अनुभव की आवश्यकता होती है। कविताएँ पढ़ाते समय मैं अपने विद्यार्थियों से अक्सर कहता हूँ कि अभी तुम कविताओं का अर्थ समझ लो, इनके भावों को तुम तब समझोगे जब जीवन के अनुभवों से भीगोगे। मेरे लिए जीवन के अनुभवों से भीगने का अवसर भी आ गया। 1930 के सत्याग्रह आन्दोलन में मैंने यूनिवर्सिटी छोड़ दी और उसके पश्चात् मेरे जीवन में जो भीषण तूफ़ान आया और मेरे विचारों और भावनाओं में जो प्रबल उथल-पुथल मची उसने मुझे ठीक उस मनःस्थिति में रख दिया जिसमें रुबाइयात उमर खैयाम मेरे प्राणों की प्रतिध्वनि हो गई। एक-एक रुबाई ऐसी मालूम होने लगी जैसे मेरे लिए ही लिखी गई हो। अब जब उन्हें मैं स्वयं पढ़ता या किसी को सुनाता तो उसमें अन्तर्निहित भावनाओं से मेरा हृदय सहज ही द्रवित, परिप्लावित और प्रोच्छ्वसित होने लगता। उफ़, क्या दिन थे वे भी !

ऐसी मनोदशा में आने के पूर्व मैंने कभी 'रुबाइयात उमर खैयाम' का रूपान्तर करने की बात मन में सोची ही न थी। पर अब तो उसका अनुवाद मेरे मन से उमड़ा पड़ता था। मैंने इस कार्य के लिए 4 जून, 1933 को लेखनी उठाई और 15 जून, सन् 1933 को रख दी। इतने दिनों के बीच मैंने बाहर की एक बारात की, और तीन दिन बीमार रहा। अर्थात् 'रुबाइयात उमर ख़ैयाम' का यह रूप उपस्थित करने में मेरे सात दिन लगे जिनमें मैंने प्रतिदिन चार-पाँच घंटे की औसत से काम किया। यद्यपि यह काम केवल सात दिन में समाप्त हो गया पर इसे करते हुए मुझे ऐसा लगा कि इसमें मेरे सात बरस की मेहनत लगी है। रूपान्तर करते समय मुझे आभास हुआ कि जैसे पिछले सात बरसों में किया हुआ प्रत्येक पाठ और उसकी प्रतिक्रिया कुछ न कुछ सहायता दे रही है। लोग मुझसे अक्सर पूछते थे कि अनुवाद में कितने दिन लगे और मैं निःसंकोच कहता था कि सात बरस। मेरा मन साफ़ है कि मैं उनसे झूठ नहीं कहता था।

हिन्दी पत्र-पत्रिकाओं के देखते रहने के कारण यह तो मुझे मालूम था कि साहित्यकारों का ध्यान उमर ख़ैयाम की कतिपय रुबाइयों की ओर जा रहा है परन्तु अपने जीवन के तूफ़ानी दिनों में जब पहले पहल उमर ख़ैयाम की सारी रुबाइयों को रूपान्तरित करने की बात मेरे मन में आई, उस समय मुझे यह नहीं ज्ञात था कि अन्य लोग अपने अनुवादों को पूरा करके पुस्तकाकार छपाने की आयोजना कर रहे हैं। मुझे जीवन से अवकाश मिले कि मैं कलम लेकर जो कुछ हृदय में हिलोरें मार रहा है उसे कागज़ पर उतारूँ कि बाबू मैथिलीशरण गुप्त का अनुवाद सन् 1931

में प्रकाशित हो गया[1] और साल भर के बाद ही पंडित केशवप्रसाद पाठक का अनुवाद।[2] यह दोनों अनुवाद जिस ठाट-बाट और जिस आन-बान से निकले थे उसे देखकर यदि मेरे मन में अपने अनुवाद को पूरा करके इनकी प्रतियोगिता में रखने की बात होती तो उसे उसी समय ठंडी पड़ जानी चाहिए थी। मुझ अज्ञात लेखक का अनुवाद कौन प्रकाशित कर सकता था। 1932 में मेरी कविताओं का एक संग्रह प्रकाशित हो चुका था पर उसके लिए मुझे जो दौड़-धूप करनी पड़ी थी और जिन लज्जास्पद शर्तों पर मुझे उसे प्रकाशक को देना पड़ा था, उसका कड़ुआ पाठ मैं अभी न भूला था। अनुवाद तो मेरे कंठ से, मैं फिर कहूँगा, फूटा पड़ता था और मेरे लिए अब उसे रोकना असम्भव था। उमर ख़ैयाम की रुबाइयों के प्रति मेरी प्रतिक्रिया अपनी थी, मेरी लय अपनी थी, मेरी ध्वनि अपनी थी, मेरी अनुवाद की धारणा अपनी थी, विधि अपनी थी, और इन सबसे अधिक महत्त्वपूर्ण इसे आरम्भ करने की प्रेरणा अपनी थी। बस, मैं काम में लग गया।

उमर ख़ैयाम की रुबाइयों को हिन्दी में उपस्थित करने में रहदेखाव का काम किसने किया इसे मैं निश्चयपूर्वक नहीं कह सकता। पर न जाने कैसे मेरी स्मृति में यह बात टँकी हुई है कि पहला अनुवाद जो मैंने उमर खैयाम की रुबाइयों का देखा वह स्वर्गीय पंडित सूर्यनाथ तकरू द्वारा किया गया था और सम्भवतः 'प्रभा' में प्रकाशित हुआ था, अपना अनुवाद करते समय मैंने उन्हें इस विषय में पत्र लिखा था। परन्तु वे बीमार थे। उन्होंने मुझे उत्तर तो दिया पर कोई बात उससे स्पष्ट न हो सकी। बाबू मैथिलीशरण गुप्त ने अपने पूर्व किसी सज्जन के प्रयास की चर्चा अपनी भूमिका में की है; सम्भव है उनका तात्पर्य उन्हीं से हो। झालरापाटन के पंडित गिरिधर शर्मा नवरत्न का किया हुआ रुबाइयात उमर ख़ैयाम का अनुवाद[3] मैंने अपना अनुवाद पूरा करने के बाद देखा। उसकी प्रकाशन तिथि सन् 1931 दी हुई है। इसके दो वर्ष पहले वे खैयाम की रुबाइयों का संस्कृत अनुवाद भी प्रकाशित करा चुके थे। उनका अपना छन्द है, और अन्य लोग भी अनुवाद कर रहे हैं इससे वे अनभिज्ञ मालूम होते हैं। विज्ञापन न होने से उनके इस अनुवाद से अन्य अनुवादक अनभिज्ञ हैं। 1932 में ही पंडित बलदेव प्रसाद मिश्र का अनुवाद[4] प्रकाशित हुआ, पर उसे भी मैंने बाद को देखा। उन्होंने बाबू मैथिलीशरण गुप्त और मुंशी इक़बाल वर्मा 'सेहर' के अनुवाद से अपना परिचय प्रकट किया है। 1933 में डॉक्टर गयाप्रसाद गुप्त का अनुवाद[5] प्रकाशित हुआ। यह बंगला के किसी अनुवाद का भाषान्तर है। 1935 में

1. प्रकाश पुस्तकालय, कानपुर।
2. इंडियन प्रेस लिमिटेड, जबलपुर।
3. नवरत्न-सरस्वती भवन, झालरापाटन।
4. मेहता पब्लिशिंग हाउस, सूत टोला, काशी।
5. हिन्दी साहित्य भंडार, पटना।

मेरा अनुवाद प्रकाशित हुआ। इसके पूर्व किसी समय लखनऊ जाने पर वहाँ के पंडित ब्रजमोहन तिवारी का, जिन्होंने 'झलक' नाम से हिन्दी में सानेटों का एक संग्रह प्रकाशित किया है, अनुवाद मैंने सुना। प्रकाशित हुआ या नहीं, इसका मुझे पता नहीं है। इसी के कुछ दिन बाद 'सैनिक' आगरा, में किसी सज्जन का अनुवाद प्रकाशित होता रहा, वह भी पुस्तक रूप में छपा या नहीं, मुझे नहीं मालूम। 1937 में मुंशी इक़बाल वर्मा 'सेहर' का अनुवाद[1] प्रकाशित हुआ, यह मूल फ़ारसी से किया गया है और इस पर उन्होंने कई बरसों से परिश्रम किया था। 1938 में श्रीयुत रघुवंश लाल गुप्त का अनुवाद[2] प्रकाशित हुआ। 1939 में जोधपुर के श्रीयुत किशोरीरमण टंडन ने एक अनुवाद करके मेरे पास भेजा, पर वह अभी अप्रकाशित है। पंडित जगदम्बा प्रसाद 'हितैषी' ने बहुत दिनों से रुबाइयात उमर खैयाम के ऊपर काम किया है और उनकी पुस्तक 'मधुमन्दिर' के नाम से प्रकाशित होने वाली है। मैंने यह भी सुना है कि पंडित सुमित्रानन्दन पन्त का किया हुआ एक अनुवाद इंडियन प्रेस में रखा है, पता नहीं कब प्रकाशित होगा।[3]

ख़ैयाम की कविता के प्रति जो मेरी प्रतिक्रिया थी वह एक समय मुझे निजी मालूम हुई थी! पर इन प्रकाशनों की तिथियों पर ग़ौर करने से पता लगेगा कि जैसे देश-काल में कुछ ऐसा वातावरण था कि दूर-दूर बैठे हुए लोगों ने भी लगभग एक ही समय में खैयाम को हिन्दी में उपस्थित करने की बात सोची। जिस तरह मैंने ऊपर कहा है कि व्यक्ति के जीवन में एक समय ऐसा आता है जब वह उमर खैयाम की विचारधारा की ओर स्वयं खिंच जाता है, क्या इसी तरह देश के जीवन में भी ऐसा समय आता है जब वह इस प्रकार की कविता सुनने को आतुर-आकुल हो उठता है ?

उत्तर है, हाँ। ऐसा ही था 1930 का वह समय। आँधी आने के पूर्व की शान्ति में बैठा हुआ क्रान्तिकारी दल एक ऐसा षड्यन्त्र रच रहा था कि जिसके द्वारा वह विदेशी शासन के सम्पूर्ण दुखःसंकटमय यन्त्र को पकड़कर चकनाचूर कर डाले और हृदय के स्वप्नों के अनुकूल एक नए ही विधान का निर्माण करे। सहसा हमारे सारे देश के ऊपर वेग से बहता हुआ एक तूफ़ान यह घोषणा कर चला, 'जागो, इधर सरदार भगतसिंह ने असेंबली भवन के अन्दर बम फेंक दिया है जिससे हमारी गुलामी की ज़ंजीरें उड़ गई हैं और उधर महात्मा गांधी ने अपने चरखे के तागे से ब्रिटिश सत्ता की सुलतानी मीनार को फँसा लिया है। माँ के लाड़लो! उठो, देश-प्रेम की मदिरा पीकर मैदान में आ जाओ, देर करने से मौक़ा हाथ से निकल जाएगा।' नौजवान

1. इण्डियन प्रेस, प्रयाग।
2. किताबिस्तान, प्रयाग।
3. 1948 में 'मधुज्वाल' के नाम से भारती भंडार, प्रयाग, द्वारा प्रकाशित।

ने सिर पर कफ़न बाँधा और अपनी प्रेयसी से बोला, 'मानिनी, विलम्ब करना व्यर्थ है, मुझे थोड़ी ही देर ठहरना है, सम्भवतः यह हमारा अन्तिम मिलन हो।' देश की पुकार तेज़ होती जा रही थी, वह अपने हृदय की पुकार न सुन सका। युवक, युवतियाँ, यहाँ तक कि बच्चे भी बानर सेना बनाकर, निकल पड़े। हमारी आँखों में एक अनोखी मस्ती थी, दिलों में एक अजीब जोश था, दिमाग़ों में एक नई ज़िन्दगी का सपना था। हमारी आशा की लहरों ने आकाश छू लिया। सरकार ने नियति की दृढ़ता, कठोरता और निर्ममता से हमारा दमन आरम्भ किया। न दलील, न अपील, न वकील। उसने हमारे नेताओं को पकड़-पकड़कर शतरंज के मोहरों की तरह जेल में डालना शुरू किया। पर हम निरुत्साह नहीं हुए। सरकार को हमारी शक्ति का पता लगा। डांडी यात्रा के विद्रोही चरणों का वायसराय की कोठी में स्वागत हुआ। महात्मा गांधी राउंड टेबिल कान्फ्रेंस में गए। पर यह सब बाहरी तमाशा था। ब्रिटिश नीति ऐसा घूँघट मारकर बैठी थी कि उसे उठाकर उससे बोलना असम्भव था। इधर लार्ड इरविन के उत्तराधिकारी लार्ड वेलिंगडन ने आर्डिनेंस राज फैला दिया और गांधीजी हिन्दुस्तान में आते ही गिरफ्तार कर लिए गए। राष्ट्रीय आन्दोलन बिलकुल कुचल दिया गया और सर सेमुएल होर ने गांधी जी की गिरफ्तारी पर गर्व से कहा कि एक कुत्ता भी नहीं भौंका। सरकार की कूटनीति ने जगह-जगह हिन्दू-मुस्लिम दंगे करा दिए। और इस प्रकार मर्दित, दलित, विभाजित और पराजित देश के ऊपर 'ह्वाइट पेपर' का विधान लाद लिया गया। हम इसे 'कोरा कागद' कहकर हँसे, पर हमें उसी को स्वीकार करना पड़ा! और भारत को अंग्रेज़ों द्वारा पूर्व दृढ़ निश्चित पथ पर ही आगे बढ़ना पड़ा। उसकी जाज्वल्यमान आशाएँ, जिनपर उसने न जाने कितने दिनों से आँख लगा रक्खी थी, सब की सब, राख बनकर न जाने किस ओर उड़ गईं। स्वतन्त्रता का बीज बोने का जो उसने श्रम-यत्न किया था उसके फलस्वरूप उसकी आँखों में आँसू थे और उसके कंठ में उच्छ्वास। नियति ने भारत की भालशिला पर जो लेख लिख दिया था उसका एक अक्षर भी भारत के शत-शत आँसुओं की धारा से न धुल सका। ऐसा था वह नैराश्यपूर्ण समय और ऐसी थीं वह शोकजनक परिस्थितियाँ जिनमें देश के कोने-कोने से उमर खैयाम की वाणी प्रतिध्वनित हुई। यह बड़ी रोचक खोज होगी कि भारत की अन्य भाषाओं में खैयाम के अनुवाद कब हुए। निश्चय के साथ तो मैं नहीं कह सकता पर मेरा अनुमान है कि वे भी सब इसी समय के आस-पास हुए होंगे।

और फ़िट्ज़जेरल्ड ने स्वयं अपने जीवन के एक बड़े उद्वेगपूर्ण समय में खैयाम की रुबाइयों का अनुवाद किया था। साथ ही साथ उन्नीसवीं सदी में इंगलैंड का वायुमंडल भी कुछ इस प्रकार का था जिसमें रुबाइयात के भाव और विचार लोगों को सहज ही आकर्षक मालूम होने लगे। इस मनःस्थिति से, बीसवीं सदी में भी, इंगलैंड क्या, यूरोप को भी त्राण नहीं मिला। शायद वह वर्तमान शताब्दी में और तीव्र ही हो गई; और यही कारण है कि आज लगभग एक सौ बरसों से यह पुस्तक

पश्चिमी जन-समुदाय में अत्यन्त लोकप्रिय बनी हुई है। जितने और जितनी तरह के संस्करण इस छोटी-सी पुस्तक के निकले हैं उतने शायद किसी और पुस्तक के नहीं निकले और आए दिन नए-नए निकलते ही जाते हैं। सैकड़ों चित्रकारों ने इसके भावों को प्रदर्शित करने को चित्र बनाए हैं। इसोडोरा डंकन ने खैयाम की रुबाइयों पर नृत्य भी तैयार किया था। निःसन्देह फ़िट्ज़जेरल्ड द्वारा ख़ैयाम की रुबाइयों का रूपान्तर साहित्य-संसार में एक विशेष महत्त्वपूर्ण घटना थी। लैंबार्न ने लिखा है, कि सन् 1859 में डारविन की 'ओरीजिन आफ़ स्पीशीज़' प्रकाशित हुई और उसने आधुनिक मस्तिष्क का निर्माण किया; उसी साल यह कविता प्रकाशित हुई और इसने आधुनिक हृदय की भविष्यवाणी की।...जीवन के विषय में चिन्तन करने वाला शायद ही कोई व्यक्ति हो जो कभी न कभी उन्हीं भावनाओं से होकर न गुज़रा हो जिनसे फ़िट्ज़जेरल्ड गुज़रे थे।...निश्चयपूर्वक यह कहा जा सकता है कि उनकी अनुभूतियों की प्रतिध्वनि प्रत्येक हृदय से होती है।

फ़िट्ज़जेरल्ड को फ़ारसी पढ़ने की प्रेरणा सन् 1853 में उनके मित्र प्रोफेसर कोवेल से मिली, और उन्होंने ही सन् 1856 में आक्सफ़ोर्ड की बोडलियन लाइब्रेरी से उमर खैयाम की रुबाइयों की पांडुलिपि उनके पास भेजी। थोड़े ही दिनों पश्चात् भारतवर्ष आने पर कोवेल ने एशियाटिक सोसाइटी की पांडुलिपि की प्रतिलिपि भी उन्हें भेजी। इसके पूर्व फ़िट्ज़जेरल्ड कई स्पेनिश और फ़ारसी पुस्तकों का अनुवाद कर चुके थे और अनुवाद कला में दक्ष हो चुके थे। फ़िट्ज़जेरल्ड ने अन्य पुस्तकें भी लिखी हैं और पत्रलेखक के रूप में भी उनकी प्रसिद्धि है, परन्तु जो यश उन्हें खैयाम के अनुवादक के रूप में मिला, वह सर्वोपरि है और चिरस्थायी है। और अनुवादों में फ़िट्ज़जेरल्ड का मस्तिष्क था, रुबाइयात उमर ख़ैयाम में उनका हृदय है। उमर का परिचय उनसे ऐसे समय में हुआ था जब उन्हें उमर की आवश्यकता थी। फ़िट्ज़जेरल्ड के पत्रों में इस तरह के वाक्य प्रायः मिलते हैं, 'जितने फ़ारसी कवियों को मैंने पढ़ा है उनमें उमर मुझे सबसे अधिक प्रिय हैं, उमर से मेरे हृदय को बड़ी सान्त्वना मिलती है, उमर को मैं अपनी निधि समझता हूँ, उमर में और मुझमें बड़ी एकता है, मैं उमर की कविता का केवल सौंदर्य ही नहीं देखता, उनकी अनुभूतियों का भी सहभागी हूँ।' फ़िट्जजेरल्ड के हृदय में कौन ऐसी चोट या कचोट थी जिसमें खैयाम की कविता से उनके दिल को तसल्ली मिलती थी? 1856 में फ़िट्ज़जेरल्ड ने लूसी बारटन से विवाह कर लिया; 'दियो विधि अनचाहत को संग'। शीघ्र ही उन्हें अनुभव हुआ कि यह उनके जीवन की सबसे बड़ी भूल थी; मन पश्चात्ताप और वेदना से भर गया। उसी समय उमर की कविता उनके अन्तराल में पैठ गई और उनके निश्वासों के साथ अन्य रूप में मुखरित हुई। एफ़. आर. बारटन लिखते हैं[1] :

---

1. *Some New Letters of Edward Fitzgerald,* Edited by F. R. Barton, C. M. G., pp.73-74.

There is very little reference to Persian poetry in his letters until 1956, the year of his marriage to Lucy Barton. By that time he was sufficiently proficient in the subject to read the language in the original script without the help of his mentor, Professor Cowell. As things turned out, his sufficient acquirement of Persian at this period stood him in good stead—not only for the reason that with Cowell's departure for India in 1856 he could no longer rely upon his guidance, but also because he thus had a congenial subject ready at hand to which he could turn when the mortification of the knowledge that he had made a blunder by marrying, came home to him. Out of evil sometimes cometh good. Men not infrequently do their best work under the stress of adversity. Had it not been for the overwhelming need he felt to divert his thoughts from the mistake he had made, we may justly doubt wheuther he would ever so far have overcome his naturally indolent temperament as to produce the best that was in him. Moreover, the philosopy of Omar attuned perfectly with his despondent frame of mind.

यह है फ़िट्ज़जेरल्ड के अनुवाद की अद्‌भुत सफलता का रहस्य—विगलित हृदय, परिपक्व मस्तिष्क। उनके विगलित हृदय में उमर ख़ैयाम की भावनाएँ घुल-मिलकर एक हो गई थीं। उन्हें अब उमर के शब्दों की अपेक्षा न थी, वे अब अपने शब्दों से भी उमर के भावों को जागृत कर सकते थे। अपने पत्रों में कई स्थलों पर उन्होंने लिखा है कि मैं उमर के शब्दों से बहुत दूर चला गया हूँ, तत्वतः मैंने शाब्दिक अनुवाद करने का प्रयत्न ही नहीं किया। कई रुबाइयों के भावों को उन्होंने मिला दिया था, इसका भी उन्हें ज्ञान था। अंग्रेज़ी लेखक एलेन की एक पुस्तक है[1] जिसमें उन्होंने फ़िट्ज़जेरल्ड की रुबाइयों की तुलना में मूल फ़ारसी की रुबाइयाँ खोजकर रक्खी हैं। 49 रुबाइयाँ मूल का अविकल अनुवाद हैं; 44 में एक से अधिक के भाव सम्मिलित हैं; 2 केवल फ़्रांसीसी अनुवाद निकोलस की प्रति में हैं; 2 में केवल मूल का भाव मात्र है; 2 में एक अन्य फ़ारसी कवि अत्तार के भाव हैं; 2 में हाफ़िज का प्रभाव स्पष्ट है; और सबसे अधिक ध्यान देने की बात यह है कि 3 रुबाइयाँ ऐसी हैं जिनके मूल का पता नहीं है और सम्भवतः वे फ़िट्ज़जेरल्ड की स्वयं अपनी हैं। इनको फ़िट्ज़जेरल्ड ने प्रथम दो संस्करणों के पश्चात् हटा भी दिया था।

एक प्रश्न पूछा जा सकता है, फ़िट्ज़जेरल्ड ने अनुवादक की मर्यादा का निर्वाह कहाँ तक किया है। अगर अनुवाद का अर्थ यह है कि एक भाषा के शब्द के स्थान

1. *Rubaiyat Omar Khayyam with Persian Originals*, by E. A. Allen Nichols, London.

पर दूसरी भाषा का शब्द लाकर रख दिया जाए तो फ़िट्ज़जेरल्ड सफल अनुवादक नहीं हैं और अगर अनुवाद का अर्थ यह है कि मूल के भावों को दूसरी भाषा के माध्यम से जाग्रत किया जाए तो फ़िट्ज़जेरल्ड आदर्श अनुवादक हैं। वस्तुतः फ़िट्ज़जेरल्ड का अनुवाद शब्दानुवाद न होकर भावानुवाद है। फ़िट्ज़जेरल्ड अनुवाद के विषय में अपनी एक विशेष धारणा रखते थे। वे अपने एक पत्र में कहते हैं, अनुवाद को जिस तरह भी हो सके सजीव बनाना चाहिए, अगर मूल के प्राणों की प्रतिष्ठा उसमें नहीं हो सकती तो अपनी ही साँसों का संचार उसमें कर देना चाहिए, भुस भरे गिद्ध से फुदकती गौरैया कहीं बढ़कर है। फ़िट्ज़जेरल्ड ने यत्न तो यही किया है कि उनके अनुवाद से उमर के ही प्राण पुकार उठें, पर जहाँ कहीं इसमें उन्हें सन्देह हुआ है, वहाँ उन्होंने अपनी ही नहीं, दूसरों की साँसों का भी उपयोग कर लिया है। अनुवाद तो रुबाइयात के बहुत हैं पर जो सजीवता फ़िट्ज़जेरल्ड के अनुवाद में है वह अन्यत्र कहीं नहीं है; और कुछ लोग तो यहाँ तक कहते हैं कि वह सजीवता उमर खैयाम की मौलिक रुबाइयों में भी नहीं है। पर, यदि वह सजीवता फ़िट्ज़जेरल्ड की ही देन है तो उन्होंने किसी अन्य कवि की रचना को अथवा स्वयं अपनी रचना को उससे अनुप्राणित क्यों नहीं किया? सच बात तो यह है कि फ़िट्ज़जेरल्ड की रुबाइयाँ न तो उमर खैयाम की ही विशुद्ध कृतियाँ रह गई हैं और न फ़िट्ज़जेरल्ड की। दोनों की विचारधारा, भावना और कला ने मिलकर एक तीसरी ही वस्तु को जन्म दिया है जिसमें प्राचीन की व्यापकता और नवीन का आकर्षण है, जिसमें पूर्व की मादकता और पश्चिम की चैतन्यता है, जिसमें दर्शन की विवेचना और कला का शृंगार है। हमें यह जानकर आश्चर्य नहीं होना चाहिए कि फ़िट्ज़जेरल्ड के इस अनुवाद को मौलिक अंग्रेज़ी के काव्य साहित्य में स्थान मिल चुका है। पालग्रेव की अंग्रेज़ी की सर्वश्रेष्ठ गायन और गीतों के संग्रह 'गोल्डेन ट्रेज़री' ने इसको स्थान देकर इसे रुबाइयों का संकलन मात्र न मानकर एक सम्पूर्ण गीत होने की सनद दे दी है।

इसमें कोई सन्देह नहीं कि फ़िट्ज़जेरल्ड की रुबाइयों की भाषा टकसाली अंग्रेज़ी है और अंग्रेज़ी काव्य परम्परा के सर्वथा अनुकूल है। यह भी सौभाग्य की बात थी कि जब फ़िट्ज़जेरल्ड ने अपना अनुवाद शुरू किया था उस समय अंग्रेज़ी काव्य की भाषा अत्यन्त कोमल, प्रांजल, मधुर और लालित्यपूर्ण हो गई थी और फ़िट्ज़जेरल्ड के मित्र और समकालीन कवि टेनिसन की कविता में भाषा का यह गुण दोष की सीमा तक पहुँच गया था। फ़ारसी में रुबाई का छन्द छोटा होता है; परन्तु फ़िट्ज़जेरल्ड ने भावों की गम्भीरता व्यक्त करने के लिए लम्बी पंक्ति वाला छन्द पसन्द किया था और सो भी आयंबिक पेंटामीटर जो अंग्रेज़ी कविता का आधार छन्द है, जिसमें अंग्रेज़ी कविता के जनक चॉसर से लेकर टेनिसन पर्यंत कविगण लिखते आए थे और जिसमें अंग्रेज़ी काव्य की सर्वश्रेष्ठ कृतियाँ लिखी जा चुकी थीं। रुबाई की तुक योजना, जिसमें तीसरी पंक्ति अतुकान्त होती है, अंग्रेज़ी काव्य साहित्य के लिए नवीन

थी और अतुकान्त के पश्चात् चौथी में तुक की अप्रत्याशित प्राप्ति में लोगों ने नया सौन्दर्य देखा, नए आनन्द का अनुभव किया। शब्द चयन में फ़िट्ज़जेरल्ड का ध्यान केवल शब्दों के अर्थ की ओर न होकर उनकी ध्वनि, उनकी शक्ति और उनकी कुलीनता की ओर भी रहता है। रुबाइयात के प्रथम परिचय पर ही, चाहे हम उसमें सन्निहित भावना से अछूते ही क्यों न रहें, फ़िट्ज़जेरल्ड केवल अपनी काव्य-कला के बल से हमें मोहित कर लेते हैं। उमर ख़ैयाम की विचारधारा का आधार तो सभी अनुवादकों को एक-सा था, परन्तु किसी में वह प्रतिभा न थी कि उसे अनेक रंगों से रंजित कर उसमें कलकल-छलछल ध्वनि भी भर दे।

भावों और ध्वनियों का सामंजस्य तो इस अनुवाद की अपनी विशेषता है—टेनिसन इस कला में पारंगत थे। Morning in the Bowl of Night has flung the Stone की ध्वनि से ही यह मालूम होता है जैसे किसी ने निशा-भाजन में पाषाण फेंक दिया है और टनटन की आवाज़ हो पड़ी है। Puts the Stars to Flight में उड़ती चिड़ियों के पंख की सरसराहट है। And David's Lips are lock't, इसे उच्चारण कीजिए और अन्तिम शब्द पर जैसे मुँह में ताला-सा लग जाएगा। The brave Music of a disant Drum से ऐसा लगता है जैसे ढोल पर दो हाथ पड़ गए हैं। Their mouths are stopt with Dust, इसे पढ़ते ही ऐसा लगेगा जैसे किसी ने मुँह में मिट्टी भर दी है। For in and out, above, about, below, इन थोड़े-से अधिकरण चिह्नों में कितना जादू है! सारा संसार ताल पर नाच गया है, 'बाहर-भीतर, ऊपर-नीचे, आस-पास' अनुवाद कर दीजिए और इसकी मिट्टी पलीद हो जाएगी। यह तो पूरी रुबाई उद्धृत करने को जी चाहता है :

> For in and out, above, about, below,
> 'T is <u>nothing</u> but a <u>magic</u> shadow show,
> Play'd in a Box whose <u>Candle</u> is the Sun,
> <u>Round</u> which we <u>Phantom</u> Figures <u>Come</u> and go.

अन्तिम तीन पंक्तियों में रेखांकित ध्वनियों पर ध्यान दीजिए। नाचने वालों की पग-पायलें ताल के साथ छमाछम बज रही हैं। Conspire to grasp this sorry Scheme of things entire में जैसे दो आदमी सचमुच में बैठकर कानाफूसी कर रहे हैं और फुसर-फुसर की आवाज़ आ रही है। Shatter it to bits में ऐसा लगता है कि कोई चीज़ टूटकर चकनाचूर हो गई है। कितने ही ऐसे उदाहरण दिए जा सकते हैं।

फ़िट्ज़जेरल्ड को अंग्रेज़ी साहित्य के स्वाध्याय का व्यसन था। उनका दिमाग़ कितनी ही सुन्दर पंक्तियों, मधुर पदों, शक्तिपूर्ण शब्दों, और प्राणमय प्रयोगों का कोष बन गया था। जब उन्होंने अपना अनुवाद शुरू किया तो जैसे स्मृति का यह कोष सहसा खुल गया और सहज ही यह सब उनकी लेखनी से उतर-उतरकर उनकी कृति को अलंकृत करने लगे। फ़िट्ज़जेरल्ड का अनुवाद पढ़ते समय अंग्रेज़ी की कितनी

ही पूर्वोक्तियाँ प्रतिध्वनित होने लगती हैं। उनकी पहली ही रुबाई पढ़िए और स्पेंसर की इन पंक्तियों से उनकी तुलना कीजिए :

> Wake now, my love, awake! For it is time;
> The Rosy Morne long since left Tithones bed,
> All ready to her silver coche to clyme;
> And Phoebus gins to shew his glorious hed[1]

कितनी समता है! into the Dust descend; Dust into Dust and under Dust, to lie बाइबिल के एक प्रसिद्ध प्रयोग के आधार पर है। पुनरुक्ति में ऐसा लगता है जैसे मिट्टी की परत पर परत लगती जा रही है। As the Cock crew भी बाइबिल से लिया गया है। एक अनुवादक महोदय ने इस पर 'कुकड़ूँ कूँ' कर दिया है! मुझे तुलसीदास ने बचा लिया। take the present time शेक्सपियर का प्रयोग है, take the cash in Hand में उसकी प्रतिध्वनि कितनी मूर्त होकर आई है। Cheek of her's to' incarnadine से शेक्सपियर के मैकबैथ के the multitudinous seas incarnadine की याद आ जाती है। उसी प्रकार tomorrow?—why, Tomorrow I may be myself with yesterday's में उसी नाटक में मैकबेथ के प्रसिद्ध अभिभाषण To-morrow and To-morrow etc. का संस्मरण स्पष्ट है। Sans wine, sans Song, sans Singer, and–sans End ! तो शेक्सपियर के 'ऐज़ यू लाइक इट' के Sans teeth, sans eyes, sans taste, sans everything का बिल्कुल अनुकरण है, पर अनुकरण में मूल से अधिक संगीत है। हेरिक की पंक्ति Old Time is still aflying. जैसपर मेन की पंक्ति है Time is the feather'd thing...takes wing. फ़िट्ज़जेरल्ड इन पंक्तियों में कि

> The Bird of time has but a little way
> To fly—and Lo! the bird is on the Wing.

उपर्युक्त दोनों कवि साथ-साथ बोल उठे हैं। फिर देखिए हेरिक की यह पंक्ति—And this same flower that smiles today, tomorrow will be dying फ़िट्ज़जेरल्ड के The Flower that once has blown forever dies में कितनी अधिक आर्त हो गई है! फ़िट्ज़जेरल्ड ने today और tomorrow की जगह once और forever कर दिया है। हेरिक ही की इस पंक्ति को कि we have short time to stay फ़िट्ज़जेरल्ड ने दुहराया है you know how little while we have to stay मगर कितना कर्णमधुर बनाकर। we Phantom Figures come and go में मिल्टन की एक पंक्ति सहसा कान में गूँज उठती है come and trip it as you go, इसी प्रकार Ah,...what boots it to repeat में मिल्टन के प्रसिद्ध शोक गीत 'लिसिड्स' की एक पंक्ति बोल रही है Alas what boots it with uncessant care to tend. फ़िट्ज़जेरल्ड की यह पंक्ति

---

1. Epithalamion—Spenser.

Nor all thy Piety nor wit Shall lure it back ड्राइडेन की प्रसिद्ध कविता से है, और वैसे ही अर्थ और प्रसंग में प्रयुक्त हुई है : Not wit, nor piety could fate prevent... । कीट्स की पंक्ति है Still wouldst thou sing, and I have ears in vain—और इसी का अनुसरण करती हुई फ़िट्ज़जेरल्ड की पंक्ति चलती है,

How oft hereafter rising shall she look
Through the same Garden after me—in vain

ऐसे ही White hand of Moses क्रैशा के प्रसिद्ध प्रयोग Nature's white hand से नाता जोड़े हुए है। रुबाई में इसका तात्पर्य प्रकृति के धवल करों से ही है। और, महमूद की जिस enchanted Sword का ज़िक्र फ़िट्ज़जेरल्ड ने किया है वह तो मेलोरी के आख्यान में मर्लिन-प्रदत्त किंग आर्थर की तलवार है जिससे अंग्रेज़ का बच्चा-बच्चा परिचित होता है। यह है फ़िट्ज़जेरल्ड के शब्द, पद, पंक्तियों और बहुत स्थानों पर भावों और विचारों की भी परम्परा से चली आती हुई सत्ता, शक्ति और कुलीनता जिसने फ़िट्ज़जेरल्ड के अनुवाद को मौलिक साहित्य की श्रेणी में ला बिठाया है।

अनुवाद की लोकप्रियता के और भी कारण हैं। इसकी भाषा सरल और मुहावरेदार है, पुनरुक्ति, सम्बोधन, विस्मय आदि के प्रयोग शैली को घरेलूपन, और कथन को वार्तालाप की सजीवता प्रदान करते हैं। रुबाइयाँ लिखित-सी नहीं कथित-सी मालूम होती हैं। पढ़ने से अधिक सुनने अथवा सुनाने में उनका आनन्द अधिक मिलता है; जो लोग चाहें प्रयोग करके देख लें। अनुप्रास, यमक और शब्द-मैत्री के कारण कविता में अद्भुत प्रवाह आ गया है, जिसमें पाठक बरबस बह जाता है। इसमें कोई सन्देह नहीं कि फ़िट्ज़जेरल्ड एक सचेत, सुरुचिपूर्ण और श्रेष्ठ कलाकार थे, परन्तु उनकी कला उमर ख़ैयाम के विचारों को अंग्रेज़ी की कोमल, कान्त, सम्भ्रान्त और सर्वप्रिय पदावली में भाषान्तरित करके ही निश्चिंत नहीं हुई। इतना उनके कार्य का सबसे सरल भाग था। उन्होंने दो बातें और कीं जो इससे अधिक महत्त्वपूर्ण थीं। इसमें पहला कार्य था रुबाइयों का चुनाव और दूसरा था उनका सजाव अर्थात् उनका क्रम स्थापित करना। फ़िट्ज़जेरल्ड अच्छे अनुवादक तो थे ही, पर सम्पादक उससे बढ़कर थे।

मैंने ऊपर कहा है कि अनुवाद में सफलता प्राप्त करना फ़िट्ज़जेरल्ड के लिए सबसे सरल कार्य था। उसे मैं इस प्रकार स्पष्ट करूँगा। प्रत्येक कवि के कथन में दो बातें होती हैं, एक 'जो' वह कहना चाहता है और दूसरी 'जैसे' वह कहना चाहता है; मोटे तौर पर विषय और विधि अथवा भाव और भाषा। फ़िट्ज़जेरल्ड में पहली का सर्वथा अभाव था, उनके पास कहने को कुछ भी न था। उनकी कृतियों में अनुवादों की ही अधिकता है; जो कुछ मौलिक उन्होंने लिखा था उसके साथ अपना नाम सम्बद्ध करने की उनमें हिम्मत न थी। दूसरी पर उन्होंने अध्ययन, अध्यवसाय और अभ्यास से धीरे-धीरे किन्तु स्थायी अधिकार प्राप्त कर लिया था। उन्हें अपने गुण को प्रकट

करने के लिए, अपनी शक्ति का उपयोग करने के लिए किसी आधार, किसी धरातल की आवश्यकता होती थी। उमर ख़ैयाम की रुबाइयों में भी उन्हें फलक मिल गया था, उन्होंने अपनी सारी चातुरी उसपर चित्र बनाने में लगा दी। और वह भी ऐसा फलक जो जीवन की विशेष परिस्थितियों में उनके हृदय के साथ एक हो गया था। दोनों भाषाओं के जानकार कहते हैं कि तुलना में उमर ख़ैयाम की रुबाइयाँ फीकी, मामूली और सिलपट मालूम होती हैं।[1] उमर अपने देश में विज्ञानी और विचारक के रूप में प्रसिद्ध थे, कवि के नाम से नहीं। उनकी कृति में शुष्कता थी, सादगी थी, सीधापन था। इनको फ़िट्ज़जेरल्ड की कला ने सरसता दी, शृंगार दिया, गति दी। पर फ़िट्ज़जेरल्ड के लिए यह कोई साधारण सुविधा और सौभाग्य की बात न थी कि उन्हें उमर ख़ैयाम का यह भावना-पटल मिल गया जिस पर उन्होंने मनमानी अपनी चित्रावली अंकित कर दी। फलक को तैयार करने में उन्हें कुछ भी न करना पड़ा था, और उसे अलंकृत और सुसज्जित करने के लिए हमें आवश्यकता से अधिक महत्ता नहीं देनी चाहिए। फ़िट्ज़जेरल्ड अपनी अपूर्व अभिव्यंजना शक्ति से भी यदि उमर की सारी रुबाइयों का अनुवाद उसी रूप में छोड़ जाते जिसमें उन्होंने बोडलियन लाइब्रेरी की पांडुलिपि प्रोफ़ेसर कोवेल से पाई थी तो, बहुत सम्भव है, आज उनकी वह ख्याति न होती जो उनके उनमें से कुछ को चुनकर एक विशेष क्रम में रखने से हुई है।

फ़िट्ज़जेरल्ड ने जितनी रुबाइयों का अनुवाद किया उससे कहीं अधिक रुबाइयाँ पांडुलिपि में थीं। फ़िट्ज़जेरल्ड के चयन ने उनमें विचारों का मेल दिखाया, भावों की समानता जताई और मनःस्थिति का ऐक्य स्थापित किया। यहाँ पर यह बतला देना अनुचित न होगा कि फ़ारसी के दीवानों में कविताएँ अथवा पद विषयक्रम के अनुसार न होकर वर्णानुक्रम से रक्खे जाते हैं। उनकी एकता उनके आरम्भिक अथवा अन्तिम अक्षरों में होती है। ऐसा संग्रह कितना कृत्रिम होता होगा, इसे बतलाने की आवश्यकता नहीं है। विभिन्न अवस्थाओं में लिखे हुए पद जब संग्रह रूप में आते हैं तो अपना स्वाभाविक स्थान छोड़कर एक यान्त्रिक क्रम से रख दिए जाते हैं। ऐसे समय में जब कि पुस्तकों की छपाई नहीं हो सकती थी, इस प्रकार की योजना पदों को स्मरण करने में अवश्य सहायक और सुविधाजनक प्रतीत होती होगी, पर इससे तो इनकार नहीं किया जा सकता कि ऐसे संग्रह से किसी कवि के विचार-विकास

---

1. *Rubaiyat of Omar Khayyam,* with a foreword by A. C. Benson, Siegle Hill and Co., London.
   सेंट्सबरी ने अपने 'रुबाइयात उमर खैयाम' शीर्षक लेख में 51वीं रुबाई के (जिसे वे रुबाइयों का एवरेस्ट मानते हैं) मूल रूप और अनुवाद की तुलना करके यही सिद्ध किया है। (The Memorial Volume—Methuen)

का कोई पता नहीं लग सकता। इन रुबाइयों में एक भाव-सूत्र खोजने के लिए हम फ़िट्ज़जेरल्ड के ऋणी हैं, और फ़िट्ज़जेरल्ड ऋणी हैं अपनी उस अवसादपूर्ण परिस्थिति के जिसमें उन्हें अपना जीवन अर्थहीन और नैराश्यपूर्ण और संसार शून्य तथा अन्धकारमय प्रतीत हुआ था। ऐसे समय में उमर की जो रुबाइयाँ फ़िट्ज़जेरल्ड को प्रिय हो गईं, जो उन्हें सान्त्वना देने लगीं; जो उनके हृदय की निधि बन गईं, जो उनके कंठ से रह-रहकर ध्वनित होने लगीं, उनमें उनके व्यक्तित्व का एक तागा-सा पिरो गया और वे एक नया रूप और नया स्वर लेकर अन्य रुबाइयों के ऊपर उठ गईं। जड़ता ने जीवन पाया; कृत्रिमता ने स्वाभाविकता पाई; विभिन्नता को एकता मिली। फ़िट्ज़जेरल्ड द्वारा चुने गए फूलों का एक मनोहर गजरा लेकर आप उसकी तुलना उमर के पुष्पों की ढेरी से करना चाहते हैं? यदि आप निराश होते हैं तो मुझे आश्चर्य नहीं है। यह है फ़िट्ज़जेरल्ड की अपनी देन जो उमर से हमें नहीं मिल सकती थी। यह है दो कलाकारों के हृदयों का मिलन, जो एक तीसरी वस्तु को जन्म देता है जिसकी अपनी स्वतन्त्र सत्ता है, अपना स्वाधीन जीवन है। सेंट्सबरी ने लिखा है कि यह कृति उतनी ही फ़िट्ज़जेरल्ड की है जितनी ख़ैयाम की। रूपक को आप ज़्यादा दूर न ले जाना चाहें तो मैं कहूँगा, जैसे सन्तान उतनी ही माता की कृति है जितनी पिता की। दोनों अपने आपमें असमर्थ थे—उमर फ़िट्ज़जेरल्ड के बिना निष्प्रभ, फ़िट्ज़जेरल्ड उमर के बिना निरवलम्ब। दोनों मिलकर स्वयं ही नहीं जी उठे हैं; एक और सजीव वस्तु के जन्मदाता हो गए हैं।

मैंने ऊपर कहा था कि अनुवाद के अतिरिक्त फ़िट्ज़जेरल्ड ने दो बातें और की हैं, उनमें से एक तो यह हुई। दूसरी बात जो फ़िट्ज़जेरल्ड ने की वह यह है कि उन्होंने अपनी चुनी हुई रुबाइयों को इस क्रम से रक्खा कि परस्पर स्वतन्त्र रुबाइयाँ एक दूसरे से सम्बद्ध हो गईं अर्थात् उन्होंने मुक्तकों को प्रबन्ध काव्य का रूप दिया। फ़िट्ज़जेरल्ड ने अपने चुने हुए फूलों को एक तरफ से उठाकर गूँथना नहीं शुरू किया; उसका एक विशेष क्रम रखा है। इस क्रम को बिगाड़ दीजिए, उनकी माला की सुन्दरता नष्ट हो जाएगी। हमें माला का रूपक छोड़ना पड़ेगा क्योंकि फ़िट्ज़जेरल्ड ने इन मुक्तकों से एक कहानी कही है—कहानी का अरस्तू के अनुसार आदि, मध्य और अवसान होता है; इस कहानी में भी यही है। हिन्दी के दो अनुवादकों ने फ़िट्ज़जेरल्ड के इस क्रम को बदल दिया है। श्रीयुत रघुवंश लाल गुप्त ने बीच में कुछ उलट-फेर अवश्य किया है, पर कहानी का मुख्य ढाँचा नहीं छुआ। श्रीयुत बलदेवप्रसाद मिश्र ने एक भोंड़ी बात की है। उन्हें इन रुबाइयों के क्रम में कोई प्रबन्ध नहीं दिखाई पड़ा। उन्होंने विषयों के कुछ गल्ले बनाकर रुबाइयों को जहाँ-तहाँ डालना शुरू कर दिया है। एक स्थान पर तो दो ऐसी रुबाइयों को अलग कर दिया है जो अपने स्थूल रूप में भी जुड़ी हुई हैं। उनका अपराध सर्वथा अक्षम्य है। कहाँ तो फ़िट्ज़जेरल्ड ने मुक्तकों का मन्त्राभिषेक कर उन्हें एक प्रतीकात्मक आख्यायिका का रूप दिया

था और कहाँ मिश्र जी ने दो-चार बिलों का अन्वेषण कर उसे 'पुनर्मूषको भव' का अभिशाप दे दिया है।

हाँ, तो फ़िट्ज़जेरल्ड ने जिस क्रम से अपनी चुनी हुई रुबाइयों को रक्खा है उससे एक प्रतीकात्मक आख्यायिका बन गई है। रुबाइयात प्रभात से लेकर सन्ध्या तक का गीत है—जीवन प्रभात से जीवन-सन्ध्या तक का, जन्म से मरण तक का। दो चरित्र हैं—उमर खैयाम और उनकी प्रेयसी। सूर्य की किरणें पृथ्वी पर फैल गई हैं, ख़ैयाम ने अपनी प्रेयसी को जगाया है। प्रातःकाल स्वप्न में कोई कह गया था, जागो, विलम्ब करने से मधुपान बेला समाप्त हो जाएगी। बाहर देखता है, संसार प्यास की पुकार कर रहा है। प्रकृति बासन्ती साज सजकर खड़ी है। सहसा अतीत की याद आ जाती है, पर वर्तमान का आकर्षण भी तो एक चीज़ है। अब भी बाग़ों में फूल खिले हैं, अब भी बुलबुल अपनी सुरीली तान में गा रही है, अब भी हृदय में अभिलाषाएँ जागरित हो उठती हैं। पिछले पश्चात्ताप और विषादों का स्मरण करने से काल-पक्षी की गति तो रुक नहीं सकती। पर मरने से क्या डरना, बड़े-बड़े संसार छोड़कर चले गए हैं। उनकी याद भी करने से क्या लाभ? प्रेयसी को लेकर बस्ती से दूर चला जाता है, पेड़ के नीचे बैठ जाता है; सामने मधु का पात्र है, बगल में प्रेयसी है, हाथ में सरस कविता की पुस्तक है। सहसा ध्यान आता है, संसार में ऐसे लोग भी तो हैं जो स्वर्ग-प्राप्ति की आशा में जीवन को तपमय बना रहे हैं, पर यही कहाँ निश्चय है कि स्वर्ग मिलेगा ही। फूल भी तो यही क़ह रहा है, जब खिलने का समय है खिलो, और जब मुर्झाने का समय आए बिखर जाओ। दुनिया में किसकी आशाएँ पूरी होती हैं, राजा हो या रंक, मृत्यु सबको मिट्टी में मिला देती है। दुनिया तो सराय है; यहाँ से सभी जाते हैं। अपनी झोंपड़ियों की क्या चिन्ता, शाहों के महल खंडहर हो गए। न जाने कितने सम्राट् और सुन्दरियाँ, जिस ज़मीन पर हम चलते-फिरते हैं, उसके नीचे गड़ी हुई हैं। विषादमय अतीत और अन्धकारमय भविष्य की चिन्ता सहसा हृदय विह्वल कर देती है। मदिरा से अपने को सँभालना चाहता है। प्रेयसी भविष्य में उसकी इच्छा पूर्ण करने को कहती है। किन्तु अबोध है वह—यहाँ एक क्षण के बाद की बात भी अनिश्चित है। इसी प्रकार की प्यास लिए हुए कितने प्रिय जन चले गए, पर हाय री जीवन की तृष्णा, हम उसे सँजोए अब भी बैठे हैं। और अगर हम अपनी दुर्बलता संचित किए हुए हैं तो बुरा क्या है, क्या इसका भी अन्त एक दिन नहीं हो जाएगा? फिर भी संसार में कहीं इस दुनिया के लिए और कहीं उस दुनिया के लिए दौड़-धूप मची है। दार्शनिकों के समान बात भी करें तो क्या लाभ? क्या दार्शनिकों का मुँह भी मौत ने नहीं बन्द कर दिया? विद्वानों की बात सुनना बेकार है, निश्चित केवल यह है कि जीवन बीता जा रहा है। फूल जो एक बार खिलता है, सदा के लिए मुर्झा जाता है। तर्कों से कोई तत्त्व आज तक नहीं निकला। जीवन भर मग़ज़पच्ची करके यही तो मनुष्य सीखता है कि वह कितना

असहाय है। इसका रहस्य नहीं खुलता कि मनुष्य इस संसार में क्यों आता है और क्यों यहाँ से चला जाता है। जन्म-मरण के ध्यान को वह प्याले में डुबा देना चाहता है। यह नहीं कि उसने अभी मनन नहीं किया, पर 'कर्म का चक्र और मनुज की मृत्यु' सदा अनबूझ पहेली रही हैं। काल और नियति अपना रहस्य कहाँ खोलते हैं! मनुष्य क्या, सारा विश्व असमर्थता का उच्छ्वास है। प्याली तो उसकी अन्तिम शरण है। यह प्याली भी तो दुखद स्मृतियाँ जगाती है। जो कभी सजीव थी, आज जड़ मिट्टी है। कल हम भी ऐसे ही जड़ हो सकते हैं, आज तो मधु पी लें। पीना, पीना बहुत कहते हैं, पर थोड़े-से जीवन में कितनी थोड़ी-सी मदिरा पी सकते हैं! लेकिन बहुत-सी कटुताओं से बचने को जो कुछ मिले उसे ही बहुत मानना चाहिए। ख़ैयाम कहता है, मित्रो, मुझे विज्ञानी, दार्शनिक और विचारक मत समझो, मुझमें सब साधारण मनुष्यों की दुर्बलताएँ—तृष्णा है। मुझे कहीं भी शान्ति मिली है तो बस मदिरा में। मेरे भय और शोक अगर किसी ने भुलाए हैं तो इसी ने। मैं जो कर रहा हूँ, उसे न्यायोचित ठहराने को किसी से बहस नहीं करना चाहता। तुम मेरी हँसी उड़ाओ, मैं तुम्हारी उड़ाता हूँ। सच पूछो तो मनुष्यों के इन कामों पर वाद-विवाद व्यर्थ है। तत्त्व है कहीं?—सब छाया का-सा खेल है। सबका अन्त शून्य में होना है, झगड़ा किस बात का? हमें चुनने की स्वतन्त्रता कहाँ है—सुरा आई तो सुरा पी ली, गरल आया तो गरल पी लिया। मनुष्य के अधिकार में है क्या; नियति हमें शतरंज के मुहरे से अधिक कब समझती है? हमें अपनी इच्छा के अनुसार करने का अवसर कब मिलता है? विधि का लेख कौन मिटा सका है? प्रार्थना करना भी व्यर्थ है। सृष्टि का भाग्य निश्चित हो चुका है; हमारी कौन बिसात? और अगर सब कुछ पहले से निर्णय है तो हमारी रुचि भी निर्णीत हो चुकी है। हमारे लिए, सम्भव है, यही निर्णय मंगलप्रद हो। जब मनुष्य का पथ निश्चित कर दिया गया और उसके मार्ग में बाधाएँ डाल दीं गईं तब उसके पतन में जो उसका पाप देखे, उसे अन्यायी कहना चाहिए। मनुष्य में क्या सामर्थ्य है कि पाप करता, अगर उसका निर्माता ही उससे ऐसा कराना न चाहता। मनुष्य का दोष नहीं, यह तो सारे विधान का ही दोष है। पर मनुष्यों में सृष्टिकर्ता के विषय में तरह-तरह की रायें हैं। कोई उसे दयावान समझता है, कोई अन्यायी, कोई उसे विनोदी समझता है, कोई उदासीन—किसकी बात मानें? संसार की तृष्णा से छुटकारा नहीं मिलता, और जीवन भर पीकर भी प्यास नहीं मिटती। जगजीवन की इन्हीं गुत्थियों को सुलझाते जीवनान्त आ पहुँचता है। ख़ैयाम अपनी प्रेयसी से कहता है, मरने पर भी मुझे मदिरा से स्नान कराना। हाय! मैं पीने का कितना अरमान लिए जा रहा हूँ। जीवन का अन्त निकट है, और हाय! मैं मद्यप के नाम से ही बदनाम रहा। तोबा कर डालूँ पर अपनी मानवीय दुर्बलता के ऊपर कैसे उठूँगा। मदिरा ने मुझे अपयश दिया हो पर कितनी सुखद विस्मृति भी तो इसी ने दी। ख़ैयाम देखता है कि वसन्त जा रहा है, फूल सूख रहे हैं, बुलबुल विदा ले

रही है। क्या उसकी भी प्रस्थान-वेला आ गई? हाय, अमरता के अभिलाषी को मरण क्यों वरण करना पड़ता है? मनुष्य में यदि शक्ति होती तो क्या वह इस जगजीवन के विधान को समूल नष्ट न कर देता? जीवन का दिन डूब रहा है। चाँद आकाश में उठ आया है? पर उसका तो समय आ गया, वह तो जाएगा। चाँद फिर-फिर निकलेगा मगर वह जीवन के पार होगा। संसार में लोग मधुपान उसी प्रकार करेंगे। विदा के समय एक आशा लेकर जाता है; शायद उसके मरने के बाद उसकी प्रेयसी कभी उसे स्मरण करे!

यह ख़ैयाम और उसकी प्रेयसी का वार्तालाप नहीं है। यह है जन्म से लेकर मरण तक की मानव की जीवनचर्या। यह है सचेत होने से लेकर संसार से विदा लेने के समय तक की विचारधारा। यह है मानव जीवन के कटु सत्यों का दर्शन और उसकी प्रतिक्रिया। यह स्वतन्त्र मुक्तकों का संग्रह न होकर एक ऐसी आत्मा की पुकार है, जिसे इस संसार के अतिरिक्त कुछ नहीं दिखाई देता, जो इस संसार से संतुष्ट भी नहीं है और जो इससे विरक्त भी नहीं हो सकती। जीवन के प्रभात में आँखें खोलकर वह इसी संसार की ओर आकर्षित होती है। जितना ही वह इसके समीप जाती है उतनी ही उसकी निराशा बढ़ती जाती है; वह दूसरे संसार का स्वप्न देखती है—पर उसकी दुर्बलता उसे इसी संसार की ओर फिर-फिर झुकाती है और अन्त में उसे इसे भी अनिच्छा से छोड़कर महान अन्धकार में विलीन हो जाना पड़ता है। ख़ैयाम और उसकी प्रेयसी का वार्तालाप मनुष्य और उसकी तृष्णा का सम्भाषण है—एक जगह से आरम्भ होता है, दूसरी जगह समाप्त होता है। यह है फ़िट्ज़जेरल्ड की दूसरी देन जिसने उनके अनुवाद को मूल से भी अधिक मूल्यवान बना दिया है। यह है फ़िट्ज़जेरल्ड का संकलन और संगठन जिसकी महत्ता उनके अनुवाद से कहीं अधिक है। उन्होंने अपनी इस अद्भुत कला से क्या करिश्मा कर दिखाया है, इसको रिचार्ड लि गेलीमी[1] के शब्दों में सुनिए। वे अपने रुबाइयों के संग्रह की भूमिका में कहते हैं :

'Probably the original rose of Omar was, so to speak, never a rose at all, but only petals towards the making of a rose; and perhaps Fitzgerald did not so much bring Omar's rose to bloom again, as make it bloom for the first time. The petals came from Persia, but it was an English magician who charmed them into a living rose.'

ऊपर मैंने फूलों और हार के रूपक का प्रयोग किया है, गेलीमी पंखुरियों और फूल का रूपक बाँधते हैं। कहते हैं, उमर का मौलिक काव्य-गुलाब, गुलाब था ही नहीं, वह केवल पंखुरियों के रूप में था। फ़िट्ज़जेरल्ड ने उमर के गुलाब को फिर से प्रफुल्लित नहीं किया, उन्होंने इसे सर्वप्रथम प्रस्फुटित ही किया। पंखुरियाँ अवश्य

---

1. *Rubaiyat of Omar Khayyam,* published by Grant Richards, London.

फ़ारस से आई थीं, परन्तु यह एक अंग्रेज़ जादूगर था जिसने अपने मन्त्रबल से उन्हें लहलहाते हुए गुलाब के फूल में परिवर्तित कर दिया।

ऐसी रुबाइयों को जिनमें विचारों, भावों और परिस्थितियों की एकता आ गई है, जो मुक्तक का रूप छोड़कर प्रबन्ध के रूप में अवतरित हो गई हैं, अगर उमर की बेतरतीब अथवा नकली सिलसिले में रक्खी हुई रुबाइयों के सामने लाएँ तो दोनों में आश्चर्यजनक भेद हमें अवश्य ही दिखलाई पड़ेगा। जिनकी आँखों ने फ़िट्ज़जेरल्ड की रुबाइयों का यह गुण विशेष नहीं देखा, उन्होंने एक बड़े साहित्यिक सौन्दर्य से अपने को वंचित रक्खा है; साथ ही उमर और फ़िट्ज़जेरल्ड का अन्तर उनके लिए सदा रहस्यमय ही रहेगा। गीत की अत्यन्त कठिन कसौटी रखकर भी जिसने रुबाइयात को 'गोल्डेन ट्रेज़री' में रक्खा, उसकी सूक्ष्म दृष्टि और उत्तम परख को सराहना होगा।

दुनिया ने आज फ़िट्ज़जेरल्ड के अनुवाद के अनेक गुणों की खोज कर ली है, परन्तु प्रकाशित होने पर जितनी उपेक्षा इस पुस्तक की हुई थी, उतनी शायद ही अन्य किसी अच्छी पुस्तक की हुई हो। सन् 1857 में कुछ रुबाइयाँ 'फ्रेज़र मैगज़ीन' में भेजी गई थीं, दो बरस दफ़्तर में पड़ी रहने के बाद वे यह कहकर लौटा दी गईं कि वे छपने योग्य नहीं हैं। 1859 में 250 प्रतियाँ खानगी तौर पर छापी गईं और क्वारिच के पास बेचने को भेज दी गईं। इसमें रुबाइयों की संख्या 75 थी। अनुवादक का नाम ग़ायब था। मूल्य 5 शिलिंग रक्खा गया था। किताब बहुत दिनों तक नहीं बिकी, दाम घटाने पर भी नहीं बिकी; तब पुस्तक-विक्रेता ने ऊबकर सड़ी-गली पुस्तकों के ढेर में उन्हें डाल दिया; जो उसे चाहता एक पेनी देकर ले जा सकता था। रॉसेटी और स्विनबर्न ने वहीं से इसे खरीदा। कीचड़ में उन्हें कमल दिखाई पड़ा, अपावन ठौर से कंचन मिला। चर्चा चल पड़ी और पुस्तक की माँग शुरू हुई।

1868 में उस पुस्तक का दूसरा संस्करण प्रकाशित हुआ। इस बीच फ़िट्ज़जेरल्ड ने रुबाइयों की अन्य पांडुलिपियों को भी देख लिया था, और सम्भवतः दो फ्रांसीसी अनुवादों को भी जो उनके संग्रह के प्रकाशन के कुछ पूर्व निकल चुके थे। इस संग्रह में 75 के स्थान पर 110 रुबाइयाँ थीं, पिछली रुबाइयों में भी बहुतों में पाठ-भेद किए थे। इस प्रकार दूसरे संस्करण में रुबाइयात को एक नया ही रूप मिल गया था। प्रथम संस्करण की उपेक्षा पर भी फ़िट्ज़जेरल्ड की रुचि रुबाइयों में बनी रही और वह उनको सजाने-सँवारने और सुधारने में लगे रहे; इससे उनका अपनी कृति के प्रति गाढ़ा विश्वास प्रकट होता है। उनकी इस लगन में हम एक आदर्श कलाकार की साधना भी देखते हैं।

1872 में तीसरा और 1879 में चौथा और अन्तिम संस्करण प्रकाशित हुआ। रुबाइयों के रूप और क्रम में परिवर्तन उपस्थित किए गए और उनकी संख्या घटाकर 101 कर दी गई। चौथा संस्करण भी अनुवादक के जीवनकाल में ही प्रकाशित हो गया था। मैकमिलन कम्पनी ने चारों संस्करणों को एक साथ प्रकाशित किया है जो

तुलनात्मक दृष्टि से रुबाइयात का अध्ययन करने वालों के लिए बड़े काम का है। इन विभिन्न संस्करणों में परिवर्तन, परिवर्धन और संशोधनों को देखने से ऐसा प्रतीत होता है, कि फ़िट्ज़जेरल्ड अपने अनुवाद को उत्तरोत्तर अधिक परिमार्जित, परिष्कृत और सुष्ठु स्वरूप में उपस्थित करने के प्रयत्न में बराबर लगे रहे—और सम्भवतः उन्हें सबसे अधिक सन्तोष अपने अन्तिम संस्करण से ही हुआ होगा। परन्तु अपनी रचनाओं के सम्बन्ध में कलाकार की सम्मति ही सर्वदा सत्य नहीं हुआ करती। फ़िट्ज़जेरल्ड को अपना चौथा संस्करण ही क्यों न सर्वोत्कृष्ट प्रतीत हुआ हो परन्तु शिक्षित जनता की रुचि ने वह स्थान उनके पहले ही संस्करण को दिया है। कैज़ामियन ने अपने अंग्रेज़ी साहित्य के इतिहास[1] में इसी प्रथम संस्करण की 75×4=300 पंक्तियों को 'अमर पंक्तियों' की उपाधि से विभूषित किया है। जनता ने भी शिक्षितों की सम्मति से ही सहमति प्रकट की है। परिणामस्वरूप रुबाइयात उमर ख़ैयाम के जो आज अनेकानेक संस्करण प्रचलित हैं उनमें प्रायः सभी इसी प्रथम अनुवाद के होते हैं।

मैंने पहले कहा है कि उन्नीसवीं सदी के इंगलैंड का वातावरण ही कुछ ऐसा था कि उसमें रुबाइयात के भाव और विचार लोगों को सहसा आकर्षित करने लगे और मैंने यह भी कहा है कि इंगलैंड क्या, सारा योरुप आज भी उस वातावरण से बाहर नहीं निकल सका। मैं यहाँ पर एक बात और जोड़ देना चाहता हूँ कि विश्व की सभ्यताओं में सबसे अधिक नवीन, सजीव और मनमोहक होने के कारण आज समस्त संसार का ध्यान इसकी ओर खिंच गया है। मैं लिखने जा रहा था 'सभ्य संसार का ध्यान' पर आज तो सभ्य वही है जो इस बृहत्तर योरुप की छाया में आ गया है। और जहाँ-जहाँ इस बृहत्तर योरुप की छाया गई है, वहाँ-वहाँ अपने साथ वह वातावरण भी ले गई है जिसमें इस जीवन के पार जो कुछ भी है उसकी सत्ता का लोप हो जाता है, जिसमें इस संसार को भोगने की लालसा सौ गुना, हज़ार गुना बढ़ जाती है; जिसमें इस संसार में जो कुछ भी प्राप्य है उसके लिए पग-पग पर संघर्ष करना पड़ता है और जिसमें मनुष्य को अपने दीन, दुर्बल और निरुपाय होने का आभास पल-पल पर होता है। इस वातावरण में मनुष्य की बुद्धि इतनी जागरूक हो जाती है कि वह अपने को स्वप्नों में नहीं बिलमा सकता और उसकी आकांक्षाएँ इतनी तीव्र हो उठती हैं कि उसे वास्तविकताओं से असन्तोष हो जाता है। इसमें मनुष्य विश्वास का मूल्य देकर तृष्णा को खरीदता है लेकिन जब उसे तृप्ति के अधरों से छूना चाहता है तो वह मृगतृष्णा बनकर उसे दूर—सुदूर ले जाती है और अन्त में उसे थकित, पतित और पराजित देखकर उस पर अट्टहास करती है। इसमें अन्तरात्मा की अमूल्य निधियों पर ताला पड़ जाता है और मनुष्य जब उसे खोलने का प्रयत्न करता है तो उसे ऐसा अनुभव होता है जैसे उसकी कुंजी वह कहीं अज्ञात रूप से

---

1. *History of English Literature*, Vol. II, p. 441

गिरा आया है। जिनको वह अपनी प्रार्थना सुना सकता था ऐसी दैवी शक्तियों में श्रद्धा खोकर वह मानवी संवेदना पाने के लिए अपने चारों ओर देखता है पर किसी को अपनी ओर ध्यान देते न देखकर वह लाचार होकर अपने ही ऊपर दया करने को बाध्य होता है। और अन्त में अपने दुःख, दैन्य और निराशा से मुक्ति पाने में अपने को सर्वथा असमर्थ पाकर इन्हीं को दुलारने लगता है, इन्हीं को आदर्श बना लेता है। इस कथित सभ्य संसारव्यापी अन्धकार, अविश्वास, अनास्था, अतृप्ति, अशान्ति, अस्थिरता और अनिश्चय की निश्चित आवाज़ है 'रुबाइयात उमर ख़ैयाम'!

उन्नीसवीं सदी में, इंगलैंड में विज्ञान की आश्चर्यजनक उन्नति हुई। चौदहवीं और पन्द्रहवीं सदी में मनुष्य की शिक्षा-दीक्षा में जो स्थान धर्म का था वही स्थान उन्नीसवीं सदी में विज्ञान ने ले लिया। शिक्षा के प्रसार, मुद्रण कला की उन्नति और मुद्रित पत्र, पत्रिकाओं, पुस्तकों के प्रचार के केन्द्रों की वृद्धि ने विज्ञान को सर्वसाधारण की मानसिक चेतना का एक महत्त्वपूर्ण अंश बना दिया। धर्म ने शुरू से ही विज्ञान को सन्देह की दृष्टि से देखना आरम्भ किया था। कितने ही वैज्ञानिकों को अपने सिद्धान्तों के लिए प्राणों की बलि देनी पड़ी थी, परन्तु जो बात धर्म के लिए ठीक थी वही विज्ञान के लिए भी ठीक निकली—शहीद का खून व्यर्थ नहीं जाता। एक समय ऐसा भी आया जब कि वैज्ञानिकों ने निर्भीकता से अपने विचारों का प्रचार करना आरम्भ किया और उन्होंने परम्परागत श्रद्धा, विश्वास और रूढ़ियों की जड़ों को हिला दिया। वैलेस, स्पेंसर, डारविन, टिंडेल और हक्सले के लेखों ने लोगों के दिमाग़ में एक अजीब तहलका मचा दिया। बाइबिल द्वारा प्रचारित ईश्वर, जीवात्मा, स्वर्ग, सृष्टि, धर्म और आचार को लोग अविश्वास की दृष्टि से देखने लगे। कुछ लोगों ने अन्धविश्वास पर आश्रित रोमन कैथलिक धर्म की शरण ली पर अधिकतर लोग नास्तिक अथवा अनिश्चयवादी हो गए--हक्सले ने अपने लिए 'ऐगनास्टिक' शब्द की खोज की और प्रायः सभी जागरूक बुद्धिवालों का यह विशेषण बन गया। पारलौकिकता यदि जीवन से लुप्त नहीं हुई तो इसका स्थान नगण्य अवश्य हो गया। यह विज्ञान का नकारात्मक अथवा संहारक कार्य था।

विज्ञान की क्रियाशीलता का एक सकारात्मक पक्ष भी था। इसने प्राकृतिक शक्तियों का अध्ययन कर उन पर अधिकार करना आरम्भ किया। सूक्ष्म ज्ञान के स्थूल प्रयोग और उपयोग आरम्भ हुए। विज्ञान ने कहा कि हमने तुम्हारा स्वर्ग अवश्य छीना है पर हम तुम्हारे लिए इसी पृथ्वी-तल पर स्वर्ग की सारी सुविधाएँ एकत्र करने में समर्थ हैं। परलोक आँखों से ओझल हो चुका था। भौतिक संसार को विज्ञान अपने नित-नूतन अन्वेषणों और आविष्कारों से मनमोहक और आकर्षक बना रहा था। मनुष्य इस संसार के अधिक से अधिक सुखों को अपने अधिकार में करने के लिए लालायित हो उठा। जीवन के पार तो कुछ भी नहीं है, जो कुछ है वह यहीं है, हमारा जीवन इसी को भोगने का अवसर है—इन्हीं विचारों ने उसकी तृष्णा को अनियन्त्रित और

उसके प्रयत्न को जीवन-मरण संग्राम का रूप दे दिया। ऐसे सामाजिक संगठन में जहाँ व्यक्ति के लिए अपने विकास और वृद्धि की कोई सीमा नहीं है, किसी श्रेणी अथवा वर्ग का विज्ञान और उसकी विभूतियों पर पूर्ण अधिकार प्राप्त करना और उनके लिए लालायित समाज का शोषण करना स्वाभाविक बात थी। इस श्रेणी अथवा वर्ग को अपने आचार के सिद्धान्त विज्ञान से मिल गए : Struggle for existence and Survival of the fittest—जीवन के लिए संग्राम, और बली के लिए विजय। संसार ने मनुष्य की तृष्णा को उभारकर तृप्ति के मार्ग में संघर्ष भर दिया। असफलता, निराशा, अशान्ति, पराजय और पलायन उसके भाग्य में पड़े। जिन्हें सफलता कुछ मिली भी, उन्होंने सुख शायद जाना हो पर शान्ति नहीं जानी, सन्तोष नहीं जाना। विज्ञान से मनुष्य की प्रत्याशाएँ पूरी नहीं हुईं—सच तो यह है कि विज्ञान ने मानव के चिरन्तन सुख और शान्ति के मूल स्रोतों को ही सुखा दिया। इतना ही नहीं, उसने नई विष की बेलें लगा दीं। विज्ञान पृथ्वी पर कल्पतरु लगाने आया था, उसने मनुष्य से उसके हरे-घने वृक्षों की छाँह भी छीन ली! विज्ञान की फैक्ट्रियों से निकला हुआ धुआँ कारलाइल, रस्किन, न्यूमन आदि लेखकों के स्वरों की अवहेलना करता हुआ सारे इंगलैंड पर फैल गया और उन्नीसवीं सदी के अन्तिम भाग में उसने ऐसा दमघोंट वातावरण उपस्थित कर दिया जिसमें लोग ऐसी भावनाओं और विचारों में प्रश्रय पाने को बाध्य हुए जिससे फ़िट्ज़जेरल्ड, थामसन, गिसिंग, हार्डी, हाउसमन आदि की वाणी ओतप्रोत है। लैंबार्न के शब्दों में फ़िट्ज़जेरल्ड ने निश्चय ही इस आनेवाले युग की मनःस्थिति की भविष्यवाणी की थी—और कला की माँग का उन्होंने जो सत्कार किया था उसके पुरस्कारस्वरूप उन्हें जो लोकप्रियता मिली वह किसी को नहीं मिली।

ऊपर मैंने दिखलाया है कि 1930-35 के बीच भारतवर्ष की परिस्थिति ही कुछ ऐसी थी जिसमें वह रुबाइयात का स्वागत करने को तैयार था। सम्भव है, इन कारणों में एक यह भी हो कि हम स्वयं बृहत्तर योरुप की कृत्रिम छाया में आते जा रहे थे। जो विश्वास के साथ 'नैनं छिन्दन्ति शस्त्राणि, नैनं दहति पावकः; सुख दुःखे समे कृत्वा' आदि अथवा 'कर्मण्येवाधिकारस्ते मा फलेषु कदाचन' कह सकते हैं, उनके लिए रुबाइयात में शायद ही कुछ आकर्षण हो। इसके विपरीत जो लोग शिक्षा-संस्कार, सहानुभूति, या अन्य प्रभावों के कारण अपने को योरोपियन अशान्ति के वातावरण में लाएँगे, उन्हें अवश्य रुबाइयात में अपनी भावनाओं की प्रतिच्छाया दिखाई देगी।

रुबाइयात को प्रकाशित हुए लगभग सौ वर्ष हो रहे हैं, पर इसकी आधुनिकता आज भी बनी है। प्रोफेसर चार्ल्स इलियट नार्टन ने लिखा है, "अपनी अंग्रेज़ी पोशाक में यह ऐसी प्रतीत होती है कि जैसे यह उस पीढ़ी की व्यग्रता और उद्विग्नता की नवीनतम अभिव्यक्ति हो जिसमें हम स्वयं पैदा हुए हैं।" हमारे आश्चर्य की सीमा नहीं रहती है जब हम यह सोचते हैं कि ये रुबाइयाँ ग्यारहवीं या बारहवीं शताब्दी

में लिखी गई थीं और ऐसे वातावरण में जो आधुनिक योरुप के वातावरण से बिलकुल भिन्न था। स्वभावतया हमारे मन में कई ऐसे प्रश्न उठते हैं—क्या यह सब उमर ख़ैयाम की रुबाई में है जो फ़िट्ज़जेरल्ड ने हमें अपने अनुभव से बताया है? यदि है तो क्या ख़ैयाम का युग भी ऐसा ही था जिसका हमारे आधुनिक युग से साम्य रहा हो? क्या जैसे कहते हैं कि इतिहास अपनी पुनरावृत्ति करता है, उसी तरह मानसिक अस्थिरता के युग भी अपने को दुहराते हैं? अथवा क्या ख़ैयाम इतने भारी द्रष्टा थे कि उन्होंने 800 वर्ष पूर्व मानव जाति पर आनेवाली अशान्ति का साक्षात्कार कर लिया था? अन्यथा इस साम्य का रहस्य क्या है?

मैं अपनी भूमिका में जिन विषयों पर कहना चाहता था, उनसे यह बाहर की बात है। फ़िट्ज़जेरल्ड के अनुवाद से ही हिन्दी में रूपान्तर करते हुए भी—सेहर साहब उसमें नहीं आते—अनुवादकों ने फ़िट्ज़जेरल्ड के बारे में नाममात्र और उमर ख़ैयाम के विषय में बहुत कुछ कहा है। मैंने अपने ध्येय में यह रक्खा था कि मैं फ़िट्ज़जेरल्ड के बारे में विस्तार से और उमर ख़ैयाम के बारे में नाममात्र कहूँगा। फिर मुझे यह भी ध्यान है कि उमर ख़ैयाम के विषय में बहुत कुछ लिखा जा चुका है और मैं उन्हीं बातों को दुहराने के अतिरिक्त कुछ नया नहीं कह सकता हूँ। ऊपर के प्रश्नों का यदि मैं उत्तर दूँ भी तो वह मेरा प्रमाद होगा क्योंकि फारसी का मेरा ज्ञान नहीं के बराबर है। इन विषयों पर जो दूसरों का लिखा हुआ मैंने पढ़ा है, उससे मैं कोई अपनी निश्चित धारणा नहीं बना सका। ऊपर के कुछ प्रश्नों पर मैंने अपनी रीति से विचार किया है और कुछ पर दूसरों के कथन को सम्भवतः ठीक कहकर मैंने फिलहाल अपने मन को शान्त कर लिया है। मुझे पता नहीं कि मेरे विचार अधिक सचेत स्वाध्यायी को कहाँ तक सन्तोष देंगे, परन्तु साधारण पाठक के लिए इन गुत्थियों को, सुलझाने में न सही तो समझने में, मेरा ध्यान है, वे अवश्य सहायक होंगे।

उमर ख़ैयाम का जन्म ग्यारहवीं शताब्दी में हुआ और मृत्यु बारहवीं शताब्दी में हुई। उनके जीवन और काव्य के विषय में संसार का कौतूहल उन्नीसवीं और बीसवीं सदी में बढ़ा। उन्हीं के कहने का ढंग उधार ले लें तो कह सकते हैं कि यदि वे कल के सात हज़ार वर्षों के साथ नहीं तो सात सौ वर्षों के साथ तो अवश्य मिल चुके हैं। इन सात सौ वर्षों में फ़ारस देश में कितनी हलचलें मचीं, कितनी राज्य-क्रान्तियाँ हुईं; कितने आक्रमण हुए और कितने किए गए; कितनी लड़ाइयाँ और कितनी सन्धियाँ हुईं—और, कितने सुलतानों की मीनारें ढह गईं; कितने जमशेदों के दरबार खंडहर हो गए; कितने क़ैकुबाद और क़ैखुसरो आए और चले गए और कितने विद्वान और पंडित जग और जीवन की कहानी बूझकर मौन हो गए। हम आज चिर परिवर्तनशील इतिहास के सात सौ बरसों को भेदकर उमर ख़ैयाम और उनके समय का फिर से साक्षात्कार करना चाहते हैं। इस कार्य में हमारी सहायता करने वाले जो कुछ लेख आदि मिलते हैं वे अपर्याप्त हैं और प्रायः हमें अनुमान

और कल्पना की शरण में जाना पड़ता है। हमारे लिए विशेष चिन्ता की बात तो यह है कि ख़ैयाम के जीवन के जिस पक्ष में हमें सबसे अधिक कौतूहल है उसके विषय में अतीत उतना ही उदासीन है। उन्नीसवीं सदी के पूर्व उमर की गणना दार्शनिकों में, गणितज्ञों में, ज्योतिषियों में थी, कवियों में नहीं। फ़िट्ज़जेरल्ड ने जब उनकी रुबाइयों का अनुवाद किया तो उनके नाम के साथ उन्हें जोड़ना पड़ा—'फारस के ज्योतिषी कवि'; ज्योतिषी पहले, कवि बाद को। सम्भवतः उमर ने अन्य विषयों में जो कुछ भी लिखा था वह तो सबका सब प्राप्त हो गया है पर उनकी कविता आज भी अन्धकार के गर्भ में पड़ी हुई है। उनकी रुबाइयों की जो पांडुलिपियाँ खोजी गई हैं उनमें सबसे छोटी में लगभग 10 और सबसे बड़ी में लगभग 1000 रुबाइयाँ हैं। विभिन्नता इन पांडुलिपियों में इतनी है कि आज लगभग 3000 रुबाइयाँ उमर के नाम से सम्बद्ध हैं। इनमें से कितनी रुबाइयाँ उमर की स्वयं लिखी हुई हैं, कोई निश्चय से नहीं कह सकता। कुछ लोग यह समझते हैं कि शायद उमर ने और भी लिखा हो, खोज जारी है और प्राय पुरानी रुबाइयों में, जिनके भी लेखक का पता नहीं लगता वे उमर के गले में डाल दी जाती हैं !

उमर ने लम्बी उमर पाई थी इसमें सन्देह नहीं, और उमर को यदि लिखने का व्यसन था तो उन्होंने अपने यौवन से अपनी वृद्धावस्था तक समय-समय पर अपने अनुभवों और विचारों को वाणी दी होगी। उमर के व्यक्तिगत जीवन की उथल-पुथल को हम नहीं जानते; पर उमर स्वाध्यायी थे, विचारक थे; और इतना तो निर्विवाद माना जा सकता है कि कोई विचारक अपने समस्त जीवन में एक ही स्थान पर जड़-सा नहीं जमा रहता, वह दिनानुदिन बढ़ता है, विकसित होता है, बदलता है। उमर का लिखा जो कुछ भी हमें प्राप्त है क्या वह उसी क्रम में है जिसमें उन्होंने लिखा होगा? फ़ारसी के दीवानों को लिखने की कृत्रिम वर्णानुक्रम विधि ने इस महत्त्वपूर्ण बात को हमसे सदा के लिए छिपा लिया है। उमर को समझने के लिए इतना ही जानना पर्याप्त नहीं है कि फ़लाँ रुबाई उनकी लिखी हुई है या नहीं—यह भी जानना ज़रूरी है कि फ़लाँ रुबाई उन्होंने अट्ठारह बरस की उमर में लिखी थी या अस्सी बरस की अवस्था में, और यह तो बताने की शायद ही ज़रूरत हो कि कोई भी संवदेनशील मनुष्य जो अट्ठारह बरस की उमर में लिखता है, वही अस्सी बरस की उमर में नहीं लिखता। हम आज, उमर ने जो कुछ भी लिखा है, उसे बिना किसी तरतीब के सामने रखकर उनमें विरोधी सिद्धान्तों, विचारों और मन्तव्यों पर अचरज कर रहे हैं। हम पूछते हैं, उमर यदि एक विचार के थे तो उन्होंने दूसरे रूप में अपने को कैसे अभिव्यक्त किया? हम शब्दों के अर्थों को तोड़-मरोड़कर उनके विचारों की एकता स्थापित करना चाहते हैं। हम वर्धमान उमर ख़ैयाम की कल्पना नहीं करते। हम उमर ख़ैयाम को मनुष्य के बजाय मूर्ति समझ बैठे हैं। उमर के संग्रहकर्त्ता वर्णानुक्रम से विषयानुक्रम पर आ गए हैं पर विकासमान उमर ख़ैयाम का यथोचित संग्रह

समयानुक्रम का ही हो सकता है। जहाँ तक मुझे ज्ञात है, उमर की रुबाइयों का कोई ऐसा संग्रह नहीं किया गया। कार्य कठिन है और व्यक्तिगत झुकाव से कुछ का कुछ हो जाने की सम्भावना भी है परन्तु यदि इस प्रकार का कोई संग्रह तैयार किया जाए तो वह बड़ा रोचक होगा। अभी थोड़े ही दिन हुए, अंग्रेज़ी में उमर ख़ैयाम के जीवन को आख्यान का रूप देने का प्रयोग किया गया है।[1] उमर की कविता का कोई प्रेमी किसी दिन उनकी रुबाइयों को अवश्य इस प्रकार रक्खेगा कि जिससे उमर के विचारों और भावों का क्रमशः विकास प्रतीत हो। उस समय बहुत-से ऐसे विवाद, कि वे नास्तिक थे या आस्तिक, परोक्षवादी थे या प्रत्यक्षवादी, पक्के मुसलमान थे या सूफ़ी या रिन्द अथवा और कुछ, समाप्त हो जाएँगे। क्योंकि इंसान की ज़िन्दगी में नास्तिक और आस्तिक दोनों बनने के लिए स्थान है, मुसलमान और काफ़िर दोनों बनने के मौक़े हैं, सूफ़ी और रिन्द दोनों बनने के अवसर हैं।

कहने का तात्पर्य यह है कि जब तक हम उमर ख़ैयाम की सब रुबाइयों को निश्चयपूर्वक न जान लें, और साथ ही उनका रचना-क्रम न स्थापित कर लें तब तक उनके सिद्धान्तों के विषय में हमें कुछ कहने का अधिकार नहीं है—और ये दोनों बातें अभी हम नहीं कर सके।

हमने प्रश्न उठाया था, क्या यह सब उमर की रुबाई में है जो फ़िट्ज़जेरल्ड ने हमें अनुवाद से बताया था? फ़िट्ज़जेरल्ड ने बोडलिअन लाइब्रेरी की पांडुलिपि की 158, और एशियाटिक सोसाइटी की पांडुलिपि की 516 रुबाइयों में से केवल 75 रुबाइयों को हमारे सामने रक्खा है। अंग्रेज़ी में कहावत है कि Even the Devil can quote the scripture. 674 रुबाइयों में से केवल 75 रुबाइयों को लेकर, और वह भी सब अपने विशुद्ध रूप में नहीं, ऐसी भी बात कही जा सकती है जो उमर ख़ैयाम के मूल सिद्धान्त के बिल्कुल विपरीत हो? ऐसे समालोचक कम नहीं हैं जिनकी यह राय है कि फ़िट्ज़जेरल्ड ने उमर खैयाम को विकृत रूप में पश्चिम के सामने रक्खा है। जान पेन[2] ने तो यहाँ तक कहा है कि फ़िट्ज़जेरल्ड की रचना 'साहित्यिक सदाचार के विरुद्ध पाप है'।

यदि ख़ैयाम की कविता से उनका व्यक्तित्व निश्चित और उनकी मनःस्थिति निर्धारित होती तो हम भी उससे विपरीत होने पर फ़िट्ज़जेरल्ड के कार्य को साहित्यिक सदाचार के प्रति अन्याय समझते। पर फ़िट्ज़जेरल्ड ने तो उस स्थान पर एक विशेष मनःस्थिति और व्यक्तित्व की स्थापना की जहाँ उसका सब प्रकार अभाव था। क्या यह कम महत्वपूर्ण बात है कि वह मनःस्थिति आनेवाले युग की मनःस्थिति थी? फ़िट्ज़जेरल्ड ने अपने अनुवाद से जो हमें दिया है वह उमर ख़ैयाम में है भी और नहीं भी है; बिल्कुल तो नहीं पर बहुत कुछ उसी तरह जैसे प्रत्येक वाक्य शब्द-कोश

---

1. *Persian Mosaic,* by Harold Lamb.

2. *The Quatrains of Omar Khayyam,* by John Paine, Villon Society, London, 1898.

में मौजूद है और नहीं भी है। वाक्य के सब शब्द कोश में हैं, पर वाक्य नहीं है।

अब हम दूसरे प्रश्न को उठाते हैं। क्या ख़ैयाम का युग भी ऐसा था जिसमें हमारी बीसवीं सदी की अशान्ति, अविश्वास, अनस्थिरता और असमर्थता के लिए स्थान था? 11वीं सदी में फ़ारस के ऊपर इस्लाम की विजय पूर्ण हो चुकी थी। जिन जातियों ने कोई धार्मिक एकता न जानी थी, जिनका आचार-विचार केवल भौतिक परिस्थितियों और सुविधा अथवा असुविधाओं पर अवलम्बित था, उन्होंने इस्लाम को स्वीकार किया और उसी के कट्टर पक्षपाती बन गए। परन्तु फ़ारस दूसरे ही प्रकार का देश था। सिकन्दर के हमले के साथ अफ़लातून की विचारधारा फ़ारस में आ चुकी थी, ईसा के छः सौ बरस पहले उत्तरी-पश्चिमी भारत के कुछ भाग फ़ारसी साम्राज्य के प्रान्त माने जाते थे और इस प्रकार भारतीय वेदान्त दर्शन से भी उसका परिचय हो चुका था। इसी प्रकार चीनी और रोमन आक्रमणों से कनफ़्यूशियस और ईसा के धर्म से भी फ़ारस अपरिचित न था। सातवीं शताब्दी में, जब कि इस्लाम ने फ़ारस में प्रवेश किया, उसका अपना राष्ट्रीय धर्म ज़ोरोस्ट्रियन, जिसे विद्वान् आर्यों के प्राचीन वैदिक धर्म का ही एक भिन्न रूप कहते हैं, अपनी परम्परा स्थापित कर चुका था और अपनी प्रारम्भिक असहिष्णुता भूल गया था। फ़ारस प्राचीन सभ्य संसार का समरांगण ही न था, क्रय-विक्रय का स्थान भी था; प्राचीन व्यापार मार्ग जो भारत से यूनान और रोम को जाता था वह फ़ारस के प्रसिद्ध नगरों में होकर गुज़रता था—निशापुर, जहाँ उमर ख़ैयाम का जन्म हुआ था, इसी मार्ग पर स्थित था। इस प्रकार फ़ारस अन्य देशों के और मुख्यतया भारत के दार्शनिक विचारों से परिचित ही न था वरन् उसके पंडित और प्रचारक भी वहाँ मौजूद थे। ऐसे शिक्षित-दीक्षित, संस्कृत और उदार देश के ऊपर इस्लाम अपने प्रारम्भिक जोश-खरोश के साथ एक भयंकर तूफ़ान के समान आ गया और कुछ समय तक ऐसा आभास हुआ जैसे उसने उसके प्राचीन धर्म और संस्कार को आमूल नष्ट कर दिया है। परन्तु फ़ारसियों का वह उदार धर्म मरा नहीं था, दब गया था, और कालान्तर में सूफ़ीवाद का रूप लेकर उठा। इस पर यूनानी और भारतीय एवं फ़ारसी विचारों की छाप स्पष्ट थी, साथ ही कुछ तत्त्व इस्लाम से भी लिए गए थे। परन्तु विद्वानों का मत है कि इस सूफ़ीवाद का अधिक सम्बन्ध वेदान्त के अद्वैतवाद से था और वस्तुतः यह इस्लामी सिद्धान्तों के विरुद्ध फ़ारस के राष्ट्रीय उदार धर्म का इन्क़लाब था। दार्शनिकों ने इस वाद का कर्कश स्वर उठाया होता तो वे तलवार के घाट उतार दिए गए होते। फ़ारस की चतुर अन्तरात्मा ने कवियों के मधुर कंठ में बैठकर इस क्रान्ति का गीत गाया। धर्म और साहित्य के बीच जैसा विपर्यय फ़ारस में फैला वैसा शायद ही किसी अन्य देश में फैला हो। दूर जाने की आवश्यकता नहीं है। काव्य में फ़ारसी की परम्परा को अपनाने वाले भारत के मुसलमान कवियों को देख लीजिए। इस्लाम विरागात्मक धर्म है, शराब को हराम समझता है, बुतपरस्ती को कुफ़्र। मुशायरे में बैठकर मुसलमान शायर,

जाहिद को गाली देता है, शराब के गुण गाता है और बुतपरस्त होने पर गर्व करता है।

इस्लाम विरागात्मक धर्म था और फ़ारस की मिट्टी की पुकार थी रागात्मकता की ओर। पहाड़ों से घिरी घाटियाँ, हरी उपजाऊ भूमि, फलों से लदे हुए बाग, फूलों से सजे हुए खेत, स्वच्छ-निर्मल जल के चश्मे, और शीतल, मन्द, सुगन्ध वायु में गूँजते हुए बुलबुल के तराने—यह सब उस विरागात्मकता का व्यंग्य करते थे। जब फ़ारस की अन्तरात्मा कवियों के कंठ से अपना क्रान्ति-गीत गाने को उठी तब इस भूमि ने भी गुल और बुलबुल, बहार और शराब आदि के विद्रोही प्रतीक प्रदान कर उनकी सहायता की। उन प्रतीकों के दुहरे अर्थों ने एक ओर तो जन-साधारण की स्वाभाविक दुर्बलता को थपकी दी और दूसरी ओर मनीषियों के आध्यात्मिक सिद्धान्तों को प्रोत्साहित किया। और इसी प्रकार यह क्रान्ति देश की संस्कृति का एक अंग बन गई। फ़ारस के मस्तिष्क के सचेत केन्द्र में था अपने नए धर्म के लिए अन्धविश्वास और अचेत केन्द्र में अपनी रागात्मिका धरती की ओर आकर्षण; सचेत में थी नए अपनाए हुए इस्लाम की कट्टरता और अचेत में परम्परा से आई हुई सभ्यता की उदारता। साधारण जनता इन विरोधी वृत्तियों को एक साथ लेकर चलती होगी और उसे इस विरोध का आभास भी नहीं होता होगा पर विचारकों को इस विरोध का ज्ञान और तज्जनित अशान्ति का अनुभव पल-पल पर होता होगा। उमर ख़ैयाम इस दूसरी श्रेणी के लोगों में से थे।

निशापुर, जिसका पुराना नाम ईरान शहर—आर्यन शहर—आर्य नगर—था और जो खुरासान—क्षुरासन—सूर्यासन—प्रदेश में स्थित था, फ़ारस के नगरों का नमूना था। प्रकृति ने अपने हाथों से सजाकर इसे इतना रमणीय, सुन्दर और मनमोहक बना दिया था कि अनवरी ने लिखा था कि पृथ्वी पर यदि कहीं स्वर्ग है तो वह निशापुर में है। शिक्षा और संस्कृति का भी वह केन्द्र था, नगर में कई महाविद्यालय, बहुत-से पुस्तकालय तथा कितने ही विद्वान थे। साथ ही भारत और यूनान के व्यापार मार्ग पर स्थित होने के कारण दोनों देशों की विदग्ध विचारधाराओं से वह सदियों से अभिसिंचित होता आया था। जान पेन का कथन है कि वहाँ पर कई ऐसे पन्थ थे जो वेदान्तवादी थे। केवल राज्यधर्म इस्लाम के आतंक से अपनी रक्षा करने के लिए उन्होंने उसके कुछ बाह्य उपकरणों को स्वीकार कर लिया था। और, निशापुर में इस्लाम का आतंक भी था, इस्लाम की कट्टरता भी थी, इस्लाम की असहिष्णुता भी थी।

इसी निशापुर में उमर ख़ैयाम का जन्म हुआ, शिक्षा-दीक्षा हुई और जीवन का अधिक समय बीता। निशापुर के वातावरण में जितनी भी विरोधी वृत्तियाँ थीं, उमर ने उन सबका अनुभव किया और उनकी कविता उन्हीं वृत्तियों के संघर्ष का परिणाम है। जिस युग में धर्म का सामाजिक जीवन से अत्यन्त घनिष्ठ सम्बन्ध था, हम किसी जागरूक और विचारवान आत्मा की अशान्ति, अस्थिरता और अनिश्चय की उद्विग्नता का अनुमान भलीभाँति कर सकते हैं। यदि यह संघर्ष उमर के जीवन-भर चलता

रहा तो फ़ारस-भर में उनसे अधिक व्यग्र, विचलित और उदास कोई भी मनुष्य नहीं था। रुबाइयों का रचनाक्रम न जानने से यह कहना कठिन है कि उनका विकास किस प्रकार हुआ होगा, फिर भी मेरी एक कल्पना है। अपने यौवन काल में जब कि मनुष्य की प्रवृत्तियाँ स्वयं ही रागात्मक होती हैं, एक ओर तो फ़ारस की विलासमयी भूमि ने उन्हें अपनी ओर खींचा होगा और दूसरी ओर उनके विज्ञान, ज्योतिष और दर्शन के नवीन ज्ञान के अभिमान ने उन्हें नास्तिक और इहलोकवादी बना दिया होगा। इस समय वे 'मदिरा और मदिराक्षी', 'सुरा और सरक' की ओर झुके होंगे, और ऐसा करने से अवश्य ही वे सूफ़ियों और कट्टर मुसलमानों के कोपभाजन बने होंगे जिनमें से कुछ ने उन्हें मार डालने तक की धमकी दी थी।[1] उमर की कितनी ही रुबाइयों में इसका संकेत मिलेगा। लेकिन उमर जैसे विचारवान को प्याली और प्यारी सदा नहीं लुभा सकती थी। साथ ही यह आभास हुआ होगा कि यह तृष्णा बुझाने के प्रयत्न में बढ़ती ही जाती है। प्रौढ़ावस्था पहुँचने पर यौवन का ज्वर हल्का हुआ होगा और ज्ञान की कन्था भीगकर भारी हुई होगी। उस समय उमर स्वयं सूफ़ी अथवा अद्वैतवादी हो गए होंगे। जान पेन की सम्मति है कि अपने जीवन में एक समय उमर उपनिषदों के सिद्धान्तों के पालक ही नहीं, उनके प्रचारक भी थे और उनकी बहुत-सी रुबाइयों की व्याख्या केवल वेदान्त के सिद्धान्तों पर हो सकती है।[2] आगे चलकर वृद्धावस्था में जन-समुदाय का विरोध करने में अपने को असमर्थ पाकर, साथ ही सामाजिक जीवन के लिए सामाजिक धर्म की आवश्यकता समझकर अथवा मृत्यु के अज्ञात देश में जाने के पूर्व बुद्धि-पोषित सिद्धान्तों से हृदय स्वीकृत-विश्वासों में अधिक शान्ति देखकर उन्होंने इस्लाम के खुदा को याद किया होगा, अपने पिछले किए पर पश्चात्ताप किया होगा, और मुक्ति की प्रार्थना की होगी। क्या इस अवस्था में मक्का की यात्रा का यही अर्थ नहीं है? संक्षेप में, उमर के यौवन की वाणी वासना-प्रधान, प्रौढ़ता की वाणी ज्ञान-प्रधान और वृद्धावस्था की वाणी धर्म-प्रधान है। दूसरे शब्दों में, यौवन में उनका शरीर प्रधान है, प्रौढ़ता में उनकी बुद्धि और वृद्धावस्था में उनका हृदय।

फ़िट्ज़जेरल्ड ने अपने चयन में यौवन और प्रौढ़ता के बीच की मनःस्थिति व्यक्त करने वाली रुबाइयों को लिया है। यौवन का स्वप्न नष्ट हो रहा है पर प्रौढ़ता के ज्ञान से जो शान्ति मिलनी चाहिए वह नहीं आई; एक दुनिया नष्ट हो चली है, पर दूसरी का निर्माण नहीं हो सका, और मन फिर उन्हीं नष्ट स्वप्नों की ढेरी में अपनी पुरानी अभिलाषाओं को खोजने का प्रयत्न करता है, असफल होता है, निराश होता

1. See Introduction to *The Nectar of Grace*, by Swami Govind Tirtha, Kitabistan, 1941.
2. See also *Quatrains from Omar Khayyam*, by F. York Powell, Howard Wilford Bell, Oxford.

है। रीते होते हुए मधुघटों के साथ तीव्र, तीव्रतर और तीव्रतम होती हुई तृष्णा अपने होंठ सटाती जा रही है। इसमें मनुष्य की कितनी अशान्ति, कितनी अस्थिरता, कितनी उद्विग्नता और कितनी असमर्थता छिपी है, इसे बताने की आवश्यकता नहीं है। फ़िट्ज़जेरल्ड ने बार-बार 'Old Khayyam' का संकेत करके मानो जीवन की इस बीच की उथल-पुथल को जीवन के अन्तिम निर्णय का रूप दे दिया है। क्या अब यह समझना कठिन है कि उमर ख़ैयाम की जिन रुबाइयों से फ़िट्ज़जेरल्ड ने अपने संग्रह का वातावरण संचित किया है उससे हमारे युग का कितना साम्य है? इससे अधिक इस प्रश्न पर मुझे कुछ नहीं कहना है।

हमारा तीसरा प्रश्न था, क्या मानसिक अस्थिरता के उस युग ने अपने-आपको दुहराया है? अगर दुहराया हो तो हमें आश्चर्य क्यों होना चाहिए? दुनिया में जब कोई नया आन्दोलन या नई विचारधारा चल पड़ती है तो पुराने समाज में एक तहलका मच जाता है। उसका सारा ढाँचा नीचे से ऊपर तक हिल उठता है। पुरानी दुनिया और पुराने समाज को नये आन्दोलन अथवा नई विचारधारा के साथ सहयोग करने और सामंजस्य स्थापित करने में कुछ समय लगता है। मानसिक अस्थिरता ऐसे समय की स्वाभाविक देन है। किसी समय धर्म और दार्शनिक विचार उसके कारण थे, आज विज्ञान उसका कारण है। विज्ञान ने दुनिया को जो प्रगति दी है उसमें तो आए दिन हमें किसी न किसी नूतन आन्दोलन की लपेट में आकर अपना पुराना स्थान छोड़ना और नया टटोलना पड़ता है। ऐसे परिवर्तनशील समय की वाणी ख़ैयाम के शब्दों में भले ही न बोले पर ख़ैयाम के भावों को अवश्य ही प्रतिध्वनित करती है।

और, जागरूक और विकासवान व्यक्ति के जीवन में तो यह एक निश्चित अवस्था है। बिना इसमें होकर निकले हुए न मनुष्य की वृद्धि होती है, न उसे शान्ति मिलती है और न उसे जीवन की सच्चाई का पता लगता है। इस अवस्था के आने पर मनुष्य उसी तरह सोचता है, अनुभव करता है जैसे ख़ैयाम ने सोचा और अनुभव किया था। ख़ैयाम ने जब उन विचारों को वाणी दी थी तब वह अपने व्यक्तित्व के ऊपर उठकर मानवता के स्तर पर पहुँच गए थे। इसीलिए उस अवस्था में यदि किसी का संयोगवश ख़ैयाम से परिचय हो जाए तो वह यही कह पड़ता है—हाय, यही तो मैं भी सोचता था, यही तो मैं भी कहना चाहता था। यद्यपि इस स्थान पर यह कहना अनुचित न होगा कि इसी अवस्था पर आकर टिक जाना मानसिक अस्वस्थता का चिह्न है।

इस भूमिका को समाप्त करने के पूर्व फिर एक बार मैं इस बात को दुहरा देना चाहता हूँ कि ख़ैयाम की रुबाइयों की आधुनिकता, मानवता अथवा सार्वभौमता स्थापित करने के लिए हम फ़िट्ज़जेरल्ड के कम ऋणी नहीं हैं।

अपने अनुवाद के विषय में मुझे केवल यह कहना है कि मैं शब्दानुवाद करने के फेर में नहीं पड़ा। भावों को ही मैंने प्रधानता दी है। साथ ही फ़िट्ज़जेरल्ड के

कथनानुसार अनुवाद को सजीव बनाने का प्रयत्न किया है। इसमें मेरी शक्ति की सीमा है। मुझे कितनी सफलता मिली है इसे देखना दूसरों का काम है। मेरा अनुवाद रुबाई छन्द में नहीं हो सका। इसके लिए जो छन्द मेरे मन से उठा, उसमें मुझे कुछ ऐसा आभास हुआ कि रुबाई के एक तुक से सफलता न मिल सकेगी। हिन्दी के कई अनुवादकों ने रुबाई के रूप का भी निर्वाह किया है।

एक शब्द फ़िट्ज़जेरल्ड के अंग्रेज़ी टेक्स्ट के विषय में भी कहना है। खेद है कि हिन्दी के जिन अनुवादकों ने मूल अंग्रेज़ी भी साथ में दी है, उनमें से एक ने भी इस बात का ध्यान नहीं रक्खा कि वह शुद्ध हो और फ़िट्ज़जेरल्ड के टेक्स्ट के अनुसार हो। एकाध स्थानों पर ग़लत पाठ के कारण उन्होंने अर्थ का अनर्थ भी किया है। टिप्पणी में एक ऐसी अशुद्धि की ओर मैंने पाठकों का ध्यान आकर्षित किया है। यहाँ जो पाठ दिया जा रहा है वह फ़िट्ज़जेरल्ड के 1859 के प्रथम अनुवाद के अनुसार है। इसे मैंने राइट[1] महोदय द्वारा सम्पादित फ़िट्ज़जेरल्ड की ग्रन्थावली से लिया है। राइट महोदय को फ़िट्ज़जेरल्ड ने स्वयं अपने ग्रन्थों को सम्पादित करने का अधिकार दिया था और उनकी यह ग्रन्थमाला उनकी मृत्यु के केवल छः वर्ष बाद प्रकाशित हुई थी। उनके ग्रन्थों का सम्भवतः यह सर्वप्रथम संग्रह है। श्रीमती बच्चन ने इसी ग्रन्थमाला से साथ में दी गई मूल अंग्रेज़ी की प्रतिलिपि तैयार की है। ध्यानपूर्वक उन्होंने एक-एक शब्द, एक-एक विराम-चिह्न हू-ब-हू मूल के अनुसार रखने का प्रयत्न किया है। यह शुष्क और नीरस कार्य मुझसे शायद ही हो सकता। इसके लिए मैं उनका आभारी हूँ।

मैं प्रयाग विश्वविद्यालय के वाइस चैंसेलर पंडित अमरनाथ झा का भी कृतज्ञ हूँ। उन्होंने अपने 'रामकाशी पुस्तकालय' से फ़िट्ज़जेरल्ड और ख़ैयाम के ऊपर बहुत-सी दुष्प्राप्य और बहुमूल्य पुस्तकें ही नहीं पढ़ने को दीं, समय-समय पर अपना सत्परामर्श भी मुझे देते रहे। अन्त में उन्होंने इस भूमिका का अन्तिम प्रूफ देखने के लिए अपने बहुधन्धी जीवन से समय निकालकर मुझे विशेष रीति से बाधित किया है। मैं विश्वविद्यालय के अरबी तथा फ़ारसी विभाग के अध्यापक मिस्टर नईमुर्रहमान के प्रति भी अनुगृहीत हूँ क्योंकि उनसे मुझे कई ऐसी किताबें मिलीं जिनसे मुझे फ़ारस के सांस्कृतिक धरातल को समझने में आसानी हुई।

---

1. *Letters and Literary Remains of Edward Fitzgerald,* Edited by William Aldis Wright, Published by Macmillan & Co., London, 1889.

टिप्पणी के लिए मैंने फ़िट्ज़जेरल्ड की अपनी तथा फाउलर, व्हीलर, लैंबार्न की टिप्पणी से सहायता ली है। एतदर्थ मैं इन महोदयों का भी एहसानमन्द हूँ। आशा है, इस भूमिका और टिप्पणी से मेरे पाठक ख़ैयाम और फ़िट्ज़जेरल्ड को अधिक अच्छी तरह समझ सकेंगे।

–बच्चन

अंग्रेजी विभाग,
विश्वविद्यालय, प्रयाग
30 अप्रैल, 1945

भूमिका

(पाँचवें संस्करण की)

उमर ख़ैयाम और फ़िट्ज़जेरल्ड के सम्बन्ध में जो कुछ मुझे कहना था वह मैंने तीसरे संस्करण की भूमिका में कह दिया था, पर उमर ख़ैयाम की कविता के सम्बन्ध में इधर जो रोचक खोज हुई है, उससे भी मैं अपने पाठकों को अवगत कर देना चाहता हूँ; इसकी कुछ चर्चा मैंने कमला देवी चौधरी की 'ख़ैयाम के जाम' (1951) की भूमिका में की थी।

फ़िट्ज़जेरल्ड के अनुवाद ने अंग्रेज़ी साहित्य को सुन्दर और सारगर्भित कविता ही नहीं दी, उमर ख़ैयाम की मूल फ़ारसी रचना के प्रति रुचि भी जाग्रत की। उनकी बहुत-सी पांडुलिपियों की खोज हुई और विद्वानों ने उन पर गवेषणात्मक लेख लिखे। अब भी निश्चयपूर्वक यह नहीं कहा जा सकता कि उमर ख़ैयाम की सारी रचना प्राप्त कर ली गई है या जो कुछ उनके नाम से लिखा मिलता है वह वास्तव में उन्हीं का है।

अभी कुछ वर्ष पहले उमर ख़ैयाम की रुबाइयों की जो सबसे प्राचीन पांडुलिपि समझी जाती थी वह सन् 1330 की थी—उमर ख़ैयाम की मृत्यु के लगभग दो सौ वर्ष बाद की। इसमें उनकी केवल 33 रुबाइयाँ थीं।

1947 में इंगलैंड के प्रख्यात प्राचीन पुस्तक-संग्रहकर्ता श्री चेस्टर बियटी ने केम्ब्रिज विश्वविद्यालय के प्रोफ़ेसर श्री जे. ए. आरबेरी को एक ऐसी पांडुलिपि दिखाई जो सन् 1260 की थी। उसमें उनकी 172 रुबाइयाँ थीं। इससे यह प्रमाणित हुआ कि कवि उमर ख़ैयाम कोई कल्पित व्यक्ति नहीं थे, बल्कि अपने समय में भी प्रसिद्ध कवि थे और काव्यप्रेमी लोग, अपनी रुचि के अनुसार, जो उनमें सर्वश्रेष्ठ था, उनको चुनकर सुरक्षित रखना चाहते थे।

अभी इस पांडुलिपि की चर्चा यत्र-तत्र चल रही थी कि प्रोफ़ेसर आरबेरी को एक ऐसी पांडुलिपि का पता लगा जो सन् 1207 की थी। यह उपर्युक्त पांडुलिपि से 53 वर्ष पुरानी थी और उमर खैयाम की मृत्यु के लगभग 75 वर्ष बाद तैयार की गई थी।

अपने केम्ब्रिज-प्रवास के दिनों में प्रोफ़ेसर आरबेरी के व्याख्यान सुनने और उनसे मिलने-जुलने के कई अवसर मुझे प्राप्त हुए थे। उन्होंने उस पांडुलिपि के मिलने की बड़ी ही रोचक कहानी मुझे सुनाई थी। एक बार तो जाली समझकर उन्होंने उसे लौटा भी दिया था, पर कुछ उड़ती नज़र से देखी हुई बातों की ओर सहसा उनका ध्यान गया और वे उसकी खोज में लगे। तब तक पांडुलिपि कई हाथों से गुज़र चुकी थी और अगर थोड़ी-सी देर और होती तो शायद इंगलैंड से वह निकल जाती, पर प्रोफ़ेसर आरबेरी ने उसे प्राप्त कर ही लिया और उस पर गम्भीरतापूर्वक विचार करना आरम्भ किया। वे इसी परिणाम पर पहुँचे कि यह पांडुलिपि जाली नहीं है, उमर ख़ैयाम की पांडुलिपियों में सबसे पुरानी है, गो यह केवल संकलन मात्र है। इसमें 252 रुबाइयाँ हैं। इससे यह अनुमान तो सहज ही लगाया जा सकता है कि कम से कम उसकी चौगुनी संख्या से तो यह संकलन तैयार किया गया होगा। इस पांडुलिपि ने यह बात निर्विवाद रूप से सिद्ध कर दी है कि उमर ख़ैयाम अपने समय में भी विख्यात कवि थे और रचना-मात्रा और काव्यगुण दोनों के ही कारण उनका अपने देश में पर्याप्त सम्मान था। यह पांडुलिपि केम्ब्रिज विश्वविद्यालय के ऐंडर्सन रूम में रखी है। मैंने इसे निकलवाकर देखा था। अंग्रेज़ लोग प्राचीन पांडुलिपियों को किस जतन और होशियारी से रखते हैं!

एक बार मेरे मन में आया कि किसी फ़ारसी जानने वाले विद्यार्थी से उसे पढ़ाकर देवनागरी अक्षरों में लिख लूँ। उन दिनों ईरान का एक विद्यार्थी केम्ब्रिज में था। वह तैयार भी हो गया था, पर पांडुलिपि देखकर उसने हिम्मत छोड़ दी। और प्रोफ़ेसर आरबेरी के पास इतना समय कहाँ था!

उन्होंने इस पांडुलिपि से अंग्रेज़ी में अनुवाद करना शुरू किया। मेरे केम्ब्रिज-प्रवास के दिनों में ही उनका अनुवाद प्रकाशित हुआ था। अनुवाद में उन्होंने अंग्रेजी का साहित्यिक सौन्दर्य लाने से अधिक उमर ख़ैयाम के विचारों के निकट रहने का प्रयत्न किया है। आधुनिक, शृंगारविरक्त, सीधी-सादी, विचार-प्रधान शैली के प्रेमियों को अनुवाद पसन्द आएगा। वस्तुत यह शैली उमर ख़ैयाम की मूल शैली के अधिक निकट है। लोकप्रियता फ़िट्ज़जेरल्ड के अनुवाद जैसी इसको न मिल सकेगी।

मैंने प्रोफ़ेसर आरबेरी का अनुवाद पढ़ा तो निष्प्रयास ही चार-पाँच रुबाइयों का हिन्दी अनुवाद कर गया। मैंने अपनी इंगलैंड की डायरी में कहीं इन्हें नोट कर लिया है। पर इस काम से मैंने अपने को बरबस रोका। मैं इसमें लगा तो ईट्स पर जो अनुसन्धान का काम करने को मैं इतनी दूर आया हूँ वह तो होने से रहा—'आए रहे हरि-भजन को, ओटन लगे कपास।' और अंग्रेज़ी से ही यदि अनुवाद करना है तो पुस्तक तो छप ही चुकी है, यह काम बाद को हो जाएगा। वैसे मैंने हरिभजन के साथ काफ़ी कपास भी ओटी, पर वह मेरी मजबूरी थी। पी-एच. डी. के लिए थीसिस भी तैयार की और सौ-सवा सौ कविताएँ भी लिखीं।

मन में एक और सारवान विचार भी आया। मूल से भी अनूदित करने में मूल का अंश मात्र ही अनुवाद में आ पाता है। अनुवाद के अनुवाद में वह अंश और भी स्वल्प हो जाता है। जहाँ तक उमर ख़ैयाम की कविता के प्रति हिन्दी-पठित जनता की रुचि जाग्रत करने की बात थी, वह फ़िट्ज़जेरल्ड के लगभग एक दर्जन अनुवादों से पूरी हो चुकी है। अब लोगों को चाहिए कि वे उमर ख़ैयाम की मूल रचना के अनुसन्धान में रुचि लें, अनुवाद करना हो तो फ़ारसी से करें। हिन्दी में जितने अनुवाद अब तक हुए हैं उनमें सिर्फ मुंशी इक़बाल वर्मा 'सेहर' का मूल फ़ारसी के किसी संकलन से है। श्री सुमित्रानन्दन पन्त के अनुवाद को मैं फ़ारसी के उर्दू गद्य अनुवाद का हिन्दी पद्यान्तर कहूँगा; या उनके शब्दों में गीतान्तर, जिसमें अत्यधिक स्वतन्त्रता ली गई है। सेहर साहब को हिन्दी का पद्य सहज साध्य नहीं था। इधर दैनिक 'हिन्दुस्तान' के रविवार-अंक में श्री रामचन्द्र सैनी का अनुवाद मूल फ़ारसी से क्रमशः निकल रहा है। मुझे पता नहीं, मूल पाठ किस पुस्तक से लिया गया है। अनुवाद की भाषा से मुझे सन्तोष नहीं हुआ। कुछ भोंड़ी अशुद्धियाँ भी मैंने देखीं। पर प्रयास ठीक दिशा में हो रहा है। आशा है, हिन्दी-फ़ारसी के विद्वान् अन्य फ़ारसी कवियों की ओर ध्यान देंगे।

उमर ख़ैयाम का ही अनुवाद करना हो तो मैं चाहता हूँ कि कोई सज्जन उस पांडुलिपि के संकलन से करें जिससे प्रोफ़ेसर आरबेरी ने अंग्रेज़ी में किया है। इससे अधिक प्रामाणिक और प्राचीन पांडुलिपि कम से कम आज तक तो नहीं मिली और मिल भी जाए तो इसकी विशेषता अक्षुण्ण रहेगी। केम्ब्रिज यूनिवर्सिटी के पुस्तकालय से पांडुलिपियों के फ़ोटो चित्र प्राप्त किए जा सकते हैं। खर्च देना पड़ता है। आशा है, कोई न कोई सज्जन इस कार्य में रुचि लेंगे। जब हिन्दी के माध्यम से ही विभिन्न भाषाओं के साहित्य का अध्ययन, अध्यापन और अनुसन्धान आरम्भ होगा, तब ऐसे अनुवादों की महत्ता होगी।

23-7-1958
विदेश मन्त्रालय
नई दिल्ली

–बच्चन

ख़ैयाम की मधुशाला
Rubaiyat of Omar Khayyam

संबोधन

मधुरे,

मैं तो तेरे प्रिय चरणों में चढ़ाने के लिए सर्वदा अपनी हृदय-वाटिका के सुमन ही लाता हूँ। उन्हीं रूप-रहित, रंग-हीन, सौरभ-विहीन पुष्पों को स्वीकार करके तेरी प्रसन्नता इतनी होती है, मानो तुझे नन्दन उपवन के सर्वश्रेष्ठ प्रसून मिल गए हों! इसी कारण तो बार-बार अपने कलि-कुसुमों से तेरे चरणों को गुदगुदाने का मुझे साहस होता है। पर यह साहस इतना बढ़ गया है कि कभी-कभी अपनी वाटिका के कुश-कंटक भी लाकर तेरे चरणों में चुभा देता हूँ—किसी और भाव से नहीं, केवल अपने बाल-कौतूहलवश यह देखने के लिए कि कितने कोमल हैं तेरे चरण!...आह मेरे! पर कभी तूने 'सी' नहीं की। मैंने तेरा मुँह देखा, वह तो इन कंटकों से भी उतना ही प्रसन्न था, जितना सुमनों से। मुझे विश्वास हुआ कि जब जीवन-वाटिका प्रसून-रहित हो जाएगी, तब भी मैं तेरी पूजा कर सकूँगा—इन्हीं काँटों से; और जब तक जीवन है, इनकी कमी कहाँ! प्रतिज्ञा की, अपने काँटे चुभाऊँगा, दूसरों के फूल न चढ़ाऊँगा। फिर भी, आज किसी दूसरे के प्रसून, जो किसी पर चढ़ चुके हैं और वह भी सदियों पूर्व, लिए हुए तेरे सामने खड़ा हूँ। किन्तु, यह मैंने अपनी इच्छा से नहीं किया—तेरी आज्ञा थी, 'रुबाइयात उमर ख़ैयाम' का रूपान्तर चाहिए। तैयार है—अवश्य, कुछ विलम्ब से। जीवन अगणित शुष्क कर्तव्य-कर्मों से भरा है। प्रेम की सरसता से कार्य करना कितना सुखद, कितना मधुर, कितना प्रिय और कितना सुन्दर है; पर, ऐसा संसार जिसमें साँस लेने से लेकर समुद्र मथने तक का सारा काम प्रेम की ही सरसता से हो, उसी समय रचा जा सकता है जब नियति से मिलकर एक षड्यन्त्र रचा जाए और इस वर्तमान दुखद संसार को तोड़-फोड़कर चकनाचूर कर दिया जाए; किन्तु नियति अपना घूंघट उठाकर कब कुछ बोलने देगी! ख़ैर, इन्हीं जीवन के नीरस कार्यों से छुट्टी पाकर आज यह तेरी आज्ञा पालन कर सका हूँ। स्वीकार कर। मेरी प्रतिज्ञा जाए तो जाए, तेरी आज्ञा रहे। इन फूलों पर अपने अश्रु-बिन्दु छिड़क-छिड़ककर

तथा इनको अपने उच्छ्वासों से फूँक-फूँककर ताज़ा बनाने का मैंने प्रयत्न किया है। प्रयत्न से अधिक मेरे वश में और क्या है!

इस कार्य को पूर्ण करने में तेरी आज्ञा ने नशे का-सा काम किया है। इसी से, इन पंक्तियों को लिखते समय एक अनोखी उमंग थी, एक अनूठा उत्साह था, एक निराला उल्लास था, एक विलक्षण स्फूर्ति थी, एक विचित्र उन्माद था। तेरी आज्ञा में ऐसा नशा हो, इसपर मुझे आश्चर्य नहीं। क्या तू स्वयं एक मदिरा नहीं, जिसके लिए कितने दिनों से मैं एक उमर ख़ैयाम बन गया हूँ। इस कार्य ने मुझे पूर्ण आनन्द दिया है। इससे तेरा विनोद हो।

बस, विदा !

15 जून, 1933

तेरे आशीर्वाद का
अभिलाषी
मैं

1

उषा ने फेंका रवि-पाषाण
निशा-भाजन में; जल्दी जाग,
प्रिये, देखो पा यह संकेत
गए कैसे तारक-दल भाग!

और देखो तो उठकर, प्राण,
अहेरी ने पूरब के लाल

फँसा ली सुलतानी मीनार
बिछा कैसा किरणों का जाल!

•

Awake ! for Morning in the Bowl of Night
Has flung the Stone that Puts the Stars to Flight :
And Lo ! The Hunter of the East Has Caught
The Sultan's Turret in a Noose of Light.

2

उषा ने ले अँगड़ाई, हाथ
दिए जब नभ की ओर पसार,
स्वप्न में मदिरालय के बीच
सुनी तब मैंने एक पुकार—

"उठो, मेरे शिशुओ नादान,
बुझा लो पी-पी मदिरा भूख,

"नहीं तो तन-प्याली की शीघ्र
जायगी जीवन-मदिरा सूख।"

•

Dreaming when dawn's Left Hand was in the Sky
I Heard a Voice within the Tavern cry,
"Awake, my Little ones, and fill the Cup
"Before Life's Liquor in its Cup be dry."

3

श्रवण कर अरुण-शिखा-ध्वनि कान
उठे यात्री सब साथ पुकार,
पड़े थे जो मदिरालय घेर–
"अरे, जल्दी से खोलो द्वार !

"नहीं है क्या तुमको मालूम
खड़ी जीवन-तरणी क्षण चार,

बहुत संभव है जा उस पार
न फिर यह आ पाए इस पार।"

•

And, as the Cock crew, those who stood before
The Tavern shouted—"Open then the Door!
"You know how little while we have to stay,
"And, once departed, may return no more."

4

नई तरु-आभा नवल समीर
जनाते,   आया   नूतन   वर्ष,
जर्जरित   इच्छाएँ   भी   आज
पा   रहीं   यौवन   का   उत्कर्ष।

मनीषी   भोग   रहे   एकांत,
एक मधु ऋतु उनके भी पास—

ज्वलित कर मूसा का तरु-ज्योति,
समीरण   ईसा   का   उच्छ्वास।

•

Now the New Year reviving old Desires,
The thoughtful Soul to Solitude retires.
Where the WHITE HAND OF MOSES on the Bough
Puts out, and Jesus from the ground suspires.

5

सभी पाटल-पुष्पों के साथ
अरम-आराम हुआ बर्बाद,
रही जमशेदी प्याले सात—
चक्रवाले की किसको याद ?

मगर अब भी लहराते बार
सलिल के कूलों पर छविमान

मगर अब भी मिट्टी का पात्र
कराता माणिक मधु का पान।

•

Iram indeed is gone with all its Rose,
And Jamshid's Sev'n-ring'd Cup where no one knows,
But still the Vine her ancient Ruby yields,
And still a Garden by the Water blows.

6

युगों से मौन हुआ दाऊद,
कभी था जिसका सुमधुर गान,
मगर बुलबुल अब भी स्वर्गीय
स्वरों में छेड़ सुरीली तान,

सुना जाती पाटल को नित्य—
"सुरा पी, मधु पी, मदिरा लाल !"

जिसे पीकर हो जाएँ शीघ्र
गुलाबी उसके पीले गाल।

And David's Lips are lock't; but in divine
High piping Pehlevi, with "Wine ! Wine ! Wine !"
"*Red* Wine !"—The Nightingale cries to the Rose
That yellow cheek of her's to' incarnadine.

7

बसंती ज्वाल-अग्नि में, आज
पिलाकर मधु मदिरा साह्लाद,
उड़ा दो अपने करके राख
हृदय के पश्चात्ताप-विषाद।

काल-पक्षी के पर दिन-रात,
उसे परिमित पथ करना पार;

प्रिये, तुम करतीं व्यर्थ विलंब,
उड़ा, लो, वह आता पर मार!

•

Come, fill the Cup, and in the Fire of Spring
The Winter Garment of Repentance fling :
The Bird of Time has but a little way
To fly—and Lo ! the Bird is on the Wing.

8

कली-कुसुमों के वन के बीच
पाँव रखता है ज्योंही प्रात,
कली-दल खिल उठता अनजान,
कुसुम-दल झर पड़ता अज्ञात।

अरे, आता जो आज वसंत
साज पाटल से अपने हाथ,

हमारे क़ैक़ुबाद-जमशेद
जाएगा ले कल अपने साथ।

•

And look—a thousand Blossoms with the Day
Woke—and a thousand scatter'd into Clay :
And this first Summer Month that brings the Rose
Shall take Jamshyd and Kaikobad away.

9

सोचकर क़ैखुसरू का भाग्य
और कर क़ैकुबाद की याद,
जिन्हें संसार गया है भूल,
समय केवल करना बर्बाद।

बुलाए हातिम दे-दे भोज,
उठाए रुस्तम रण को हाथ;

न करके उनकी कुछ परवाह
प्रिये, तुम आओ मेरे साथ।

•

But come with old Khayyam, and leave the Lot
Of Kaikobad and Kaikhosru forgot :
Let Rustam lay about him as he will,
Or Hatim Tai cry Supper—heed them not.

10

चलो, चलकर बैठें उस ठौर,
बिछी जिस थल मखमल-सी घास,
जहाँ जा शस्य-श्यामला भूमि
धवल मरु के बैठी है पास,

जहाँ कोई न किसी का दास,
जहाँ कोई न किसी का नाथ,

नृपति महमूद सिहाए भाग
जहाँ यदि हमको देखे साथ।

•

With me along some Strip of Herbage strown
That just divides the desert from the sown,
Where name of Slave and Sultan scarce is known,
And pity Sultan Mahmud on his Throne.

11

घनी सिर पर तरुवर की डाल,
हरी पाँवों के नीचे घास,
बग़ल में मधु मदिरा का पात्र,
सामने रोटी के दो ग्रास,

सरस कविता की पुस्तक हाथ,
और सब के ऊपर तुम, प्राण,

गा रहीं छेड़ सुरीली तान,
मुझे अब मरु, नंदन उद्यान।

•

Here with a Loaf of Bread beneath the Bough,
A Flask of Wine, a Book of Verse—and Thou
Beside me singing in the Wilderness
And wilderness is Paradise now.

12

सुना मैंने, कहते कुछ लोग–
मधुर जग पर मानव का राज !
और कुछ कहते–जग से दूर
स्वर्ग में ही सब सुख का साज !

दूर का छोड़ प्रलोभन, मोह,
करो, जो पास उसी का मोल,

सुहाने भर लगते हैं, प्राण,
अरे, ये दूर-दूर के ढोल !

•

How sweet is mortal Sovranty !"—think some :
Others—"How blest the Paradise to come !"
Ah, take the Cash in hand and wave the Rest;
Oh, the brave Music of a *distant* Drum !

13

खिली जो अपने चारों ओर,
सुनो, क्या कहती पाटल-माल–
"विहँस-हँसकर उपवन के बीच
लूटती मोती मैं इस काल।

"रेशमी झोली अपनी फाड़
अभी इस वन में दूँगी फेंक,

"और अपनी निधियाँ अनमोल
लुटा दूँगी मैं क्षण में एक।"

•

Look to the Rose that blows about us—"Lo,
"Laughing," she says, "into the World
"I blow :
"At once the silken Tassel of my Purse
"Tear, and its Treasure on the Garden "throw."

14

जगत की आशाएँ जाज्वल्य,
लगाता मानव जिन पर आँख,
न जाने सब की सब किस ओर,
हाय ! उड़ जातीं बनकर राख।

किसी की यदि कोई अभिलाष
फली भी, तो वह कितनी देर ?

धूसरित मरु पर हिमकण-राशि
चमक पाती है जितनी देर।

•

The Worldly Hope men set their Hearts upon
Turns Ashes—or it prospers; and anon.
Like Snow upon the Desert's dusty Face
Lighting a little Hour or two—is gone.

15

समेटा जिन कृपणों ने स्वर्ण,
सुरक्षित रक्खा उसको मूँद,
लुटाया, और, जिन्होंने खूब,
लुटाते जैसे बादल बूँद,

गड़े दोनों ही एक समान,
हुए मिट्टी दोनों के हाड़,

न कोई हो पाया वह स्वर्ण,
जिसे देखें फिर लोग उखाड़।

•

And those who husbanded the Golden Grain,
And those who flung to the Winds like Rain,
Alike to no such aureate Earth are turn'd
As, buried once, Men want dug up again.

ख़ैयाम की मधुशाला • 59

16

जीर्ण जगती है एक सराय,
दिवा-निशि जिसके द्वार विशाल,
खोलती एक उषा उठ प्रात,
दूसरा, संध्या, सायंकाल ।

यहाँ आ बड़े-बड़े सुल्तान,
बड़ी थी जिनकी शौकत-शान,

न जाने कर किस ओर प्रयाण
गए, बस दो दिन रह मेहमान ।

•

Think, in this batter's caravanserai
Whose Doorways are alternate Night and Day,
How Sultan after Sultan with his Pomp
Abode his Hour or two, and went his way.

17

जहाँ था जमशेदी दरबार,
शान से होता था मधुपान,
वहाँ स्वच्छंद घूमते सिंह,
वहाँ निर्भीक भूकते श्वान।

और, वह बादशाह बहराम,
अहेरी जो था जग-विख्यात,

पड़ा निद्रा में आज अचेत
गधे की सिर पर खाता लात।

•

They say the Lion and the Lizard keep
The Courts where Jamshyd gloried and drank deep;
And Bahram, that great Hunter—the Wild Ass
Stamps o'er his Head, and he lies fast asleep.

18

वही होते अति लाल गुलाब,
जड़ें जिनकी कर पातीं पान,
गड़े अवनीपतियों का खून;
समझ यह, आता मुझको ध्यान,

हाय, वन की हर सुंबुल-वेलि,
रही जो हिल-खिल आज समोद,

किसी सुमुखी की कुंतल-राशि,
पड़ी जो गिर उपवन की गोद।

•

I Sometimes think that never blows so red
The Rose as where some buried Caesar bled;
That every Hyacinth the Garden wears
Dropt in its Lap from some once lovely Head.

19

अरे, यह कितने कोमल पात,
चुंबनों से अपने अम्लान,
ढक रहे जो सरिता का कूल
विचरते हम-तुम जिस पर, प्राण !

धरो धीरे से इस पर पाँव,
कौन जाने, हो सकता, प्राण !

किन्हीं मृदु अधरों को ही चूम
उगे हों यह पौधे अनजान !

•

And this delightful Herb whose tender Green
Fledges the River's Lip on which we lean—
Ah, lean upon it lightly ! for who knows
From what once lovely Lip it springs unseen !

20

पिलाकर प्यारी मदिरा आज
नशे में इतना कर दो चूर,
भविष्यत के भय जाएँ भाग,
भूत के दारुण दुख हों दूर।

प्रिये, लेना मत कल का नाम,
नहीं कल पर मुझको विश्वास;

अरे, कल दूर, एक क्षण बाद
काल का मैं हो सकता ग्रास।

•

Ah, my Beloved, fill the Cup that clears Today of
  past Regrets and future Fears—
To-morrow ?—Why, To-morrow I may be
Myself with Yesterday's Sev'n Thousand Years.

21

अरे, वे सुंदरतम, वे श्रेष्ठ,
जिन्हें हम करते इतना प्यार,
क्रूर-कटु काल-कर्म के, हाय,
हो गए कितने शीघ्र शिकार !

न वे पी पाए प्याले चार,
गया उनका जीवन-मधु सूख,

चले करने विश्राम अनंत,
लिए निज अरमानों की भूख।

•

Lo ! some we loved, the loveliest and best
That time and Fate of all their Vintage prest,
Have Drunk their Cup a Round or two before,
And one by one crept silently to Rest.

22

उन्होंने छोड़ा जो उद्यान,
हमारा वह आनंद-निवास,
वहाँ सज प्रकृति वसंती साज
हृदय में भरती हास-हुलास।

करें उन पर रँगरेली आज,
जहाँ वे, पर, जाना उस ठौर;

हमारे ऊपर भी रँगरेल
मचाने को आएँगे और।

•

And we, that now make merry in the Room
They left, and summer dresses in new Bloom,
Ourselves must we beneath the Couch of Earth
Descend, ourselves to make a Couch—for whom ?

23

अरे, अब भी जो कुछ है शेष,
भोग वह सकते हम स्वच्छंद,
राख में मिल जाने के पूर्व
न क्यों कर लें जी भर आनंद;

गड़ेंगे जब हम होकर राख
राख में, तब फिर कहाँ वसंत,

कहाँ स्वरकार, सुरा, संगीत,
कहाँ, इस सूनेपन का अंत !

•

Ah, make the most of what we yet may spend,
Before we too into the Dust descend;
Dust into Dust, and under Dust, to lie,
Sans Wine, sans Song, sans Singer, and—sans End!

24

भोगने को होते तैयार
बहुत से वर्तमान संसार,
पहुँचने को आगामी स्वर्ग
बहुत से सहते कष्ट अपार;

अँधेरे की चढ़कर मीनार
मुअज़्ज़िन यह करता आह्वान—

"रहेगा दोनों ओर निराश,
"भटक मत, रे मानव नादान !"

•

Alike for those who for TO-DAY prepare, and those
that after a TO-MORROW stare,
A Muezzin from the Tower of a Darkness cries,
"Fools ! your Reward is neither Here nor "There" !

25

स्वर्ग-जग पर करते शास्त्रार्थ
जता विद्वत्ता का अभिमान,
अरे, कल जो सब पंडित-विज्ञ,
गड़े मूढ़ों के आज समान।

कुचल दी जाने को सब ओर
गई दी उनकी वाणी छीट,

बंद करने को मुख वाचाल
गई दी मिट्टी उनमें पीट।

•

Why, all the Saints and Sages who discuss'd
Of the Two Worlds so learnedly, are thrust
Like foolish prophets forth; their words to Scorn
Are scatter'd and their Mouths are stopt with Dust.

26

प्रिये, आ बैठो मेरे पास,
सुनो मत क्या कहते विद्वान,
यहाँ निश्चित केवल यह बात
कि होता जीवन का अवसान।

यहाँ निश्चित केवल यह बात,
और सब झूठ और निर्मूल;

सुमन जो आज गया है सूख,
सकेगा वह न कभी फिर फूल।

•

Oh, come with old Khayyam, and leave the Wise
To talk; one thing is certain, that Life flies;
One thing is certain, and the Rest is Lies;
The Flower that once has blown for ever dies.

27

पंडितों-विद्वानों के पास
गया यौवन में बार अनेक
स्वयं मैं उत्सुकता के साथ
समझने उनका नर्क-विवेक।

युक्तियाँ भूल-भुलैया एक
लगी, जिसमें हिर-फिर कर, प्राण,

उसी ड्योढ़ी के पहुँचा पास,
किया था जिस पर से प्रस्थान।

•

Myself when young did eagerly frequent
Doctor and Saint, and heard great Argument
About it and about that : but evermore
Came out by the same Door as in I went

28

ज्ञानियों को ले अपने साथ
ज्ञान के मैंने बोए बीज,
उगाने का करते श्रम-यत्न
उठा मेरा तन-प्राण पसीज;

और, इस खेती के फल-रूप
यही कहने को मेरे पास—

"लिये आता था अश्रु-प्रवाह,
"छोड़ता जाता हूँ उच्छ्वास।"

•

With them the Seed of Wisdom did I sow,
And with my own hand labour'd it to grow :
And this was all the Harvest that I reap'd—
"I came like Water, and like Wind I go."

29

अरे, आया क्यों जग के बीच !
कहाँ से तृण-सा मुझको तोड़,
बहा लाई है कोई धार,
गई जो जगती-तट पर छोड़ ?

जगत क्यों देना होगा छोड़ ?
कहाँ को, रज-कण मुझको जान,

उड़ा ले जाएगा दिन एक
किसी मरु का पवमान महान ?

●

Into this Universe, and *why* not knowing
Nor *whence*, like water willy-nilly flowing :
And out of it, as Wind along the Waste,
I know not *whither*, willy-nilly blowing.

30

न पूछा, फेंक दिया इस ओर,
हमें समझा इतना निरुपाय !
न पूछा, खींच लिया उस ओर,
बड़ा यह तो हम पर अन्याय !

प्रिये, प्याले पर प्याला ढाल
बढ़ा दो इतना मद-उन्माद,

न जाए जन्म-निधन पर ध्यान,
न आए अन्यायी की याद !

•

What, without asking, hither hurried *whence* ?
And, without asking, *whither* hurried hence !
Another and another Cup to drown
The Memory of this Impertinence !

31

उड़ा ऊपर भू-कंदुक छोड़,
किए सातों नभ-मंडल पार,
पहुँच शनि-सिंहासन के पास
दिए उस पर अपने पग धार;

राह में सुलझा डालीं, प्राण,
समस्याओं की गाँठ अनेक;

'कर्म का चक्र, मनुज की मृत्यु'
रही अनबूझ पहेली एक।

•

Up from Earth's Centre through the Seventh Gate
I rose, and on the Throne of Saturn sate,
And many Knots unravel'd by the Road;
But not the Knot of Human Death and Fate.

32

काल था बैठा बंद कपाट
किए, जिसको न सका मैं खोल,
नियति बैठी थी घूँघट मार,
उठा जिसको न सका मैं बोल।

हुआ केवल क्षण-भर आभास
हो रही कुछ 'मैं-तू' की बात,

और, प्रेयसि, उसके पश्चात्
हो गई वह भी लय अज्ञात

•

There was a Door to which I found no Key :
There was a Veil past which I could not see :
Some little Talk awhile of ME and THEE
There seem'd—and then no more of THEE and ME.

33

मिले दिखलाने को पथ सूर्य,
चंद्र, तारक-दल-द्वीप अनेक
जिसे, उस नभ का कर आह्वान
प्रश्न पूछा तब मैंने एक—

"नियति ने कौन दिया है दीप,
जिसे ले उसकी लघु संतान

"न भटके अंधकार में भूल ?"
कहा—"अंधी मति दीपक मान।"

•

Then to the rolling Heav'n itself I cried,
Asking, "What Lamp had Destiny to "guide"
"Her little Children stumbling in the "Dark" ?
And—"A blind Understanding !" Heav'n replied.

34

मृत्तिका की प्याली की ओर
झुका तब तज सब वाद-विवाद,
कि खोले जीवन का कुछ भेद
कहीं इसका ही मादक स्वाद;

होंठ से होंठ लगा यह बोल
उठी, "जब तक जी, कर मधुपान;

"कौन आया फिर जग में लौट
किया जिसने जग से प्रस्थान ?"

•

Then to the earthen Bowl did I adjourn
My Lip the secret Well of Life to learn :
And Lip to Lip it murmur'd—"While You live
"Drink !—for once dead you never shall "return."

35

हाय, बोली जो प्याली आज
मंद अस्फुट शब्दों में चार,
रही होगी यह मूर्ति सजीव
कभी करती आनंद-विहार;

इन्हीं जिन जड़ अधरों से आज
रहा हूँ कर मैं मधु का पान,

हुआ होगा कितने रसपूर्ण
चुंबनों का आदान-प्रदान !

•

I think the Vessel, that with fugitive
Articulation answer'd, once did live,
And merry-make; and the cold Lip I kiss'd
How many Kisses might it take—and give !

36

हृदय में उठती क्यों यह बात ?
एक दिन जब था संध्याकाल,
घूमता जा पहुँचा मैं हाट,
देखता क्या हूँ एक कुलाल

बनाने को ऐसे ही पात्र
थपकता है मिट्टी पर हाथ,

मिली मिट्टी में जीभ कराह
रही है, "आह, दया के साथ !"

•

For in the Market-place, one Dusk of Day.
I watch'd the Potter thumping his wet Clay.
And with its all obliterated Tongue
It murmur'd—"Gently, Brother, gently, pray !"

37

करो प्याला मदिरा से पूर्ण,
लाभ क्या बार-बार यह चेत,
खड़े हम जीवन-धारा बीच,
खिसकती पद-तल से पल-रेत;

अनागत कल जगती से दूर,
विगत कल काट चुका जग-फंद;

करो मत उनका चिंतन आज,
आज यदि कटता है सानंद !

•

Ah, fill the Cup—what boots it to repeat How Time
   is slipping underneath our Feet :
Unborn To-morrow, and dead Yesterday
Why fret about them if To-day be sweet !

38

अरे, यह विस्मृति का मरु देश
एक विस्तृत है, जिसके बीच
खिंची लघु जीवन-जल की रेख,
मुसाफ़िर ले होठों को सींच।

एक क्षण, जल्दी कर, ले देख,
बुझे नभ-दीप, किधर पर भोर ?

कारवाँ मानव का कर कूच
बढ़ चला शून्य उषा की ओर !

•

One Moment in Annihilation's Waste,
One Moment, of the well of Life to taste—
The Stars are setting and the Caravan
Starts for the Dawn of Nothing—Oh, make haste!

39

अरे, यह सारे व्यर्थ प्रयत्न !
अरे, यह सारे व्यर्थ विवाद !
अरे, यह सारी खोज अनंत
तुम्हें देगी केवल अवसाद।

सुनो, जीवन-उपवन के बीच
मधुर फल केवल यह अंगूर;

शेष तरु या तो हैं फल-हीन।
रहे फल या कड़ुए फल दूर।

•

How long, how long, in infinite Pursuit
Of This and That endeavour and dispute ?
Better be merry with the fruitful Grape
Than Sadden after none, or bitter, Fruit.

40

बहुत दिन से मित्रों को ज्ञात
भवन में मेरे अति उत्साह-
सहित होता है मदिरा-पान;
किया है मैंने नूतन ब्याह।

कर्कशा, वृद्धा, वंध्या जान
दिया है 'तर्क-शक्ति' को छोड़,

लिया है सरस, मधुर, सुकुमार
'सुरा-बाला' से नाता जोड़।

•

You know, my Friends, how long since in my House
For a new Marriage I did make Carouse :
Divorced old barren Reason from my Bed,
And took the Daughter of the Vine to Spouse.

41

दर्शनों का सीखा सिद्धांत,
गणित विद्या सीखी दे ध्यान;
खपाया ज्योतिष में मस्तिष्क,
बढ़ाया जड़-जीवों का ज्ञान;

जगत की ज्वाला से मैं तप्त,
जलाशय ज्ञान-विवेक अनेक

मगर सब छिछले, उथले, क्षीण,
मिला बस प्याला गहरा एक।

•

For "Is" and "Is-Not" through *with* Rule and Line,
And "Up-And-Down" *without*, I could define
I yet, in all I only cared to know,
Was never deep in anything but—Wine.

42

खुले मदिरालय द्वार समीप
अभी उस दिन की है बात,
उतरकर सांध्य गगन से एक
आ गया देवदूत अज्ञात ।

सज रहा था कंधे पर पात्र,
किसी रस से वह था भरपूर;

कहा उसने लो इसका स्वाद,
कहा मैंने चखकर—'अंगूर !'

•

And lately, by the Tavern Door agape,
Came stealing through the Dusk an Angel Shape
Bearing a Vessel on his Shoulder; and
He did me taste of it; and 'twas—the Grape !

43

अँगूरी नैयायिक है एक,
पंडितों-सा दे ठीक प्रमाण,
सिद्ध कर सकती है सब झूठ
विवादी मत-पंथों का ज्ञान।

कीमियागर है मदिरा एक
बड़ी ही चतुरा और सुजान,

मलिन जीवन-सीसे को शीघ्र
बना देती कंचन द्युतिमान।

•

The Grape that can with Logic absolute
The two-and-Seventy jarring Sects confute :
The subtle Alchemist that in a Trice
Life's leaden metal into Gold transmute.

44

अँगूरी बलशाली महमूद,
विजयकारी सम्राट महान,
नशे की जोशीली तलवार
हाथ में ले करती प्रस्थान।

डालती तितर-बितर कर काट
काफ़िरों के दल, जो भय-शोक,

बिठा जो मन में दुख की मूर्ति
सत्य मत सुख को रखते रोक।

•

The mighty Mahmud, the victorious Lord
That all the misbelieving and black Horde
Of Fears and Sorrows that infest the Soul
Scatters and slays with his enchanted Sword.

45

न मुझको विद्वानों से काम,
व्यर्थ सब जिनके वाद-विवाद;
न जग के झगड़ों की परवाह,
निरर्थक जिनकी रखना याद।

चलो जग-कोलाहल से दूर
करें हम-तुम एकांत निवास,

उड़ाएँ हम भी उन पर धूल,
हमारा जो करते उपहास।

•

But leave the Wise to wrangle, and with me,
The Quarrel of the Universe let be :
And, in some corner of the Hubbub couch,
Make Game of that which makes as much of Thee.

46

मच रही यत्र-तत्र-सर्वत्र
निरंतर जग में जो रँगरेल,
नहीं उसका कुछ भी अस्तित्व
इंद्रजाली माया का खेल।

गगन-भूतल की है कंदील,
सूर्य है जिसमें दीपक एक।

चतुर्दिक जिसके छाया रूप
घूमते हम जड़-जीव अनेक।

•

For in and out, above, about, below,
'Tis nothing but a Magic Shadow-show,
Play'd in a Box whose Candle is the sun,
Round which we Phantom Figures come and go.

47

अरे, यदि यह मदिरा का पान
चुंबनों का आदान-प्रदान,
शून्य में परिणत हो अनजान
सभी का जिसमें अंत समान,

प्रिये, तो जब तक तुझमें प्राण
कल्पना में तू ऐसा जान,

वही हम हैं जो होंगे—शून्य—
न होंगे हम कुछ भी कम, प्राण !

•

And if the Wine you drink, the Lip you press,
End in the Nothing all Things end in—yes—
Then fancy while Thou art, Thou art but what
Thou shalt be—Nothing—Thou shalt not be less.

48

प्रफुल्लित जब तक पाटल वृंद
सरित का सुनकर कलकल गान,
बैठकर, प्रेयसि, मेरी गोद
करो माणिक मदिरा का पान।

गरल का प्याला ले यमदूत
तुम्हारे आ जाए जब पास,

उसे भी ले, कर जाना पान,
न होना विचलित और उदास।

•

While the Rose blows along the River Brink,
With old Khayyam the Ruby Vintage drink :
And when the Angel with his darker Draught
Draws up to thee—take that, and do not shrink.

49

कर्म औ' नियति रहे शतरंज
खेल, जगती की खोल बिसात,
मनुष्यों के मुहरे निःशक्त
बिठा खानों में, जो दिन-रात।

उन्हें चलते वे इस-उस ओर
मारते और कराते मेल,

सभी को काल-कोष्ठ में डाल
खत्म कर देते अपना खेल।

•

'Tis all a Chequer-board of Nights and Days
Where Destiny with Men for Pieces plays :
Hither and thither moves, and mates, and slays,
And one by one back in the Closet lays.

50

"नहीं-हाँ" के प्रश्नों से व्यर्थ
दीन कन्दुक रखता कब काम ?
खिलाड़ी लुढ़काता जिस ओर
चला जाता दक्षिण या वाम।

हमें भी कन्दुक-सा ही जान
वही जिसने फेंका अज्ञात,

लुढ़कने को भू पर हर ओर
हमारी जाने सारी बात।

•

The Ball no Question makes of Ayes and Noes,
But Right or Left as strikes the Player goes;
And He that toss'd Thee down into the Field,
He knows about it all—HE knows—HE knows!

51

किसी की लौह लेखनी भाल-
शिला पर लिख जाती कुछ लेख,
न फिर फिरती पीछे की ओर,
लिखा क्या, इतना तो ले देख

न कम कर देगी आधी पंक्ति,
देख सब तेरी भक्ति, विवेक

न तेरे आँसू की ही धार
सकेगी धो लघु अक्षर एक

•

The Moving Finger Writes; and, having writ,
Moves on : nor all thy Piety nor Wit
Shall lure it back to cancel half a Line
Nor all thy Tears wash out a Word of it.

52

अरे, यह उल्टा प्याला गोल,
जिसे हम कहते हैं आकाश,
तले जिसके हम जीवन-बोझ
उठाते, थकते, तजते श्वास,

उठाओ हाथ न उसकी ओर,
सकेगा कर क्या दीन सहाय ?

बना जब हम-सा ही निःशक्त
स्वयं यह घूम रहा निरुपाय।

•

And that inverted Bowl we call the Sky, Whereunder
  crawling coop't we live and die,
Lift not the hands to *It* for help—for It
Rolls impotently on as Thou or I.

53

ध्येय में रखकर अंतिम रूप
बना मानव का प्रथमाकार,
गया है बोया पहला बीज
उपज अंतिम का रूप विचार।

न्याय के दिन के सायंकाल
सुनाया जाएगा जो लेख,

सृष्टि के प्रथम प्रात में पूर्ण
हो चुका है उसका अवरेख।

•

With Earth's first Clay They did the Last Man's knead,
And then of the Last Harvest Sow'd the Seed :
Yea, the first Morning of Creation wrote
What the Last Dawn of Reckoning shall read.

54

बताता तुझसे एक रहस्य—
लक्ष्य से जब करके प्रस्थान
चले सुर-दूत सूर्य पर बैठ,
अश्व जो नभ का है द्युतिमान,

फेंकते अंतरिक्ष के बीच
उपग्रह, ग्रह, नक्षत्र अनेक,

मनाते जैसे बरसा फूल
सृष्टि का पुण्य प्रथम अभिषेक।

•

I tell Thee this—When, starting from the Goal,
Over the shoulders of the flaming Foal
Of Heav'n Parwin and Mushtara they flung,
In my predestin'd Plot of Dust and Soul

तभी आ उस मिट्टी के बीच,
डालकर जिसमें मेरा प्राण
बनाई जाने को थीं देह,
आज पृथ्वी पर जो गतिमान,

पड़ी अंगूर लता की मूल
किसी के ध्रुव निश्चय को मान

बनूँ मैं इसके कितने पूर्व
बनी रुचि मेरी दे तो ध्यान

•

I tell Thee this—When, starting from the Goal,
Over the shoulders of the flaming Foal
Of Heav'n Parwin and Mushtara they flung,
In my predestin'd Plot of Dust and Soul
The Vine had struck a Fibre;

55

फैलकर अब यह चारों ओर
किए हैं मुझ पर शीतल छाँह,
फलित होकर करती मधुदान
मुझे क्या सूफ़ी की परवाह ?

मुझे यह तुच्छ समझता लोह,
न लोहा यह कुंजी बन जाय

खोलने को वह बन्द कपाट,
जिसे वह पीट रहा निरुपाय !

•

The Vine had struck a Fibre; which about
If clings my Being—let the Sufi flout;
Of my Base Metal may be filed a Key,
That shall unlock the Door he howls without.

56

प्रेम की दिखलाने को राह
भस्म कर या करने को क्षार
झलक दिखला दे सच्ची ज्योति
एक यदि मदिरालय के द्वार,

प्रिये, तो उस पर सकता वार
न जाने कितनी बार स-चाव

मस्जिदें, मंदिर, गिरजे साथ,
जहाँ उसका सब भाँति अभाव।

•

And this I know : whether the one True Light,
Kindle to Love or wrath consume me quite,
One Glimpse of It within the Tavern caught
Better than in the Temple lost outright.

57

मुझे जो पथ करना था पार
बिठाए उस पर प्रेत-पिशाच,
बनाए उस पर गहरे गर्त;
और, आया अब करने जाँच

पूर्व ध्रुव निश्चय के अनुसार
चला मैं करता व्यर्थ प्रलाप;

देखते तुझे न आती लाज
पतन में मेरे मेरा पाप!

•

Oh Thou, who didst with Pitfal and with Gin
Beset the Road I was to wander in,
Thou wilt not with Predestination round
Enmesh me, and impute my Fall to Sin ?

58

मलिन मिट्टी की दे दी देह,
न करती फिर ये कैसे पाप ?
अदन के उपवन के ही साथ
रचा तूने पापों का साँप

अरे, वे तो सब तेरे पाप,
कलंकित जिनसे मानव भाल;

क्षमा कर मानव के अपराध
क्षमा अपनी पा ले तत्काल

•

Oh, Thou, who Man of baser Earth didst make,
And who with Eden didst devise the Snake;
For all the Sin wherewith the Face of Man
Is blacken'd, Man's Forgiveness give—and take !

59
कूज़ा नामा

और भी एक बताता बात—
गया रमज़ान मास था बीत,
आ गया था शुभ संध्या काल
न था निकला पर चंद्र पुनीत;

सामने थी मेरे दूकान,
जिसे रखता वह वृद्ध कुम्हार,

बना मिट्टी के पात्र अनेक
गए थे रक्खे बाँध कतार !

●

Listen again. One evening at the Close
Of Ramzan, ere the better Moon arose,
In that old Potter's Shop I stood alone
With the Clay Population around in Rows.

60

मुझे कहते होता आश्चर्य
रहे थे उनमें से कुछ बोल,
मगर कुछ थे ऐसे भी पात्र
नहीं जो मुँह सकते थे खोल

अचानक बोल उठा वह पात्र
सबों से जो था अधिक अधीर,

"बनाता क्यों है व्यर्थ कुलाल
तुच्छ मिट्टी का क्षणिक शरीर ?"

•

And, strange to tell, among that Earthen Lot
Some could articulate, while others not :
And suddenly one more impatient cried—
"Who *is* the potter, pray, and who the "Pot ?"

61

इसे सुन पात्र उठा कह एक,
"बनाया मैं न गया था व्यर्थ,
तुच्छ मिट्टी से मेरी देह
बनाई जाने में कुछ अर्थ !

बनाया चतुराई के साथ
मुझे जिसने साँचे में ढाल,

वही क्या फिर से मुझको तोड़
तुच्छ मिट्टी में देगा डाल ?"

•

Then said another—"Surely not in vain
"My Substance from the common Earth "was taken,
"That He who subtly wrought me into Shape
"Should stamp me back to common Earth "again."

62

तीसरा बोल उठा फिर पात्र,
''चिड़चिड़ा बालक भी अज्ञान
कभी क्या तोड़ेगा वह पात्र,
किया जिससे उसने सुखपान;

बनाया, फिर, जिसने यह पात्र
सुरुचि औ' शुद्ध प्रेम को जोड़,

वही क्या उसको दो दिन बाद
क्रोध में आ, डालेगा तोड़ ?''

•

Another said—"Why, ne'er a peevish "Boy,
Would break the Bowl from which he drank in Joy;
"Shall He that *made* the Vessel in pure Love
"And Fancy, in an after-Rage destroy!"

63

न उत्तर में जब कोई बोल
सका, तब कुछ पल के पश्चात्
पात्र उनमें से बोला एक,
बना था जिसका टेढ़ा गात,

"देखकर मेरा वक्र स्वरूप
रहे हँस लोग व्यंग्य के साथ,

मगर क्या मेरा है अपराध
कँपा यदि कुंभकार का हाथ ?"

•

None answer'd this; but after Silence spoke
A Vessel of a more ungainly Make,
"They sneer at me for leaning all awry,
"What ! if did the Hand then of the Potter "shake ?"

64

एक बोला, "कहते कुछ लोग,
एक है क्रूर-कठोर कलाल,
नरक का काला भयप्रद धूम्र
रहा है रँग उसका मुखभाल,

कड़ी करता पात्रों की जाँच;
अरे, उनकी बातें निस्सार;

हमारा स्वामी सज्जन-साधु
करेगा सुख से बेड़ा पार !"

•

Said one—"Folks of a surly tapster tell,
"And daub his Visage with the smoke of Hell.
"They talk of some strict Testing of us—"Pish !
"He's a Good fellow, and 'twill all be well."

65

दूसरा बोला ले उच्छ्वास,
"गई है मेरी मिट्टी सूख,
भूलकर चिर दिन से मधुपान,
सताती मुझको इसकी भूख।

उसी मधु मदिरा से फिर आज
अगर कोई भर दे यह पात्र,

सरस, मधुमय फिर से हो जाय
शुष्क, नीरस मेरा यह गात्र।"

•

Then said another with a long-drawn Sigh,
"My Clay with long oblivion is "gone dry :
"But, fill me with the old familiar Juice,
"Methinks I might recover by-and-by !"

66

पात्र जब करते थे यों बात
दिखा निज वाक् शक्ति, निज ओज,
एक ने देख लिया वह चाँद,
रहे थे कर सब जिसकी खोज।

परस्पर धक्के देकर पात्र
उठे कह—"मित्र, लगाओ कान,

सुनो, आते फिर वाहक लोग,
चलो फिर होगा मदिरा-पान।"

•

So while the Vessels one by one were speaking,
One spied the little Crescent all were seeking :
And then they jogg'd each other. "Brother ! Brother !"
"Hark to the Porter's shoulder-knot
"a-Creaking !"

67

प्रिये, मदिरा से देना सींच
अधर मेरे होते मृत-म्लान,
मरूँ तब मदिरा से ही, प्राण,
कराना मेरे शव को स्नान।

अँगूरी पत्तों से मृत देह
मूँद, उनकी ही शैया डास,

सुला देना मुझको चुपचाप
किसी मधुमय उपवन के पास

•

Ah, with the Grape my fading Life provide
And wash my Body Whence the Life has died,
And in a Winding sheet of Vine-leaf wrapt,
So bury me by some sweet Garden-side.

68

कि गड़ने पर भी मेरी राख
बिछाए सौरभ का मधु पाश
पवन में उपवन में सब ठौर
जहाँ हो शीतल छाया घास।

पकड़ ले शेखों के भी पाँव,
रहे हों कर जो उपवन पार,

न जा पाएँ आगे की ओर
बिना विश्राम किए पल चार।

•

That ev'n my buried Ashes such a Snare
Of Perfume shall fling up into the Air
As not a True Believer passing by
But shall be overtaken unaware.

69

किया जिनको चिर दिन से प्यार
उन्होंने ही ऐसा व्यवहार
किया, जिससे सारा संसार
मुझे कहता कंचन से क्षार।

दिया छिछले प्याले में बोर
उन्होंने मेरा गौरव-मान,

और दी ख्याति प्रतिष्ठा बेच
उन्होंने लेकर बस यह गान।

•

Indeed the Idols I have loved so long
Have done my Credit in Men's Eye much wrong:
Have drown'd my Honour in a shallow Cup,
And sold my Reputation for a song.

70

शपथ ले मैंने निस्संदेह
किए थे पश्चात्ताप अनेक,
मगर, था क्या तब मैं गंभीर ?
मगर, था क्या तब मैं सविवेक ?

और, आया, फिर, सरस वसंत,
सजा, फिर, पाटल से निज हाथ;

गए व्रत के वे मेरे तार
टूट उसके आने के साथ।

•

Indeed, Indeed, Repentance oft before
I swore—but was I sober when I swore?
And then and then came Spring, and Rose-in-hand
My threadbare Penitence apieces tore.

71

किया मदिरा ने मुझसे घात
मान की पगड़ी मुझसे छीन,
मगर, कब उसको समझा हेय ?
मगर, कब उसको समझा हीन ?

मुझे प्रायः इस पर आश्चर्य
बेचता मद क्यों दीन कलाल,

कहाँ ताँबे के टुकड़े चार ?
कहाँ माणिक-सा उसका माल ?

•

And much as Wine has Play'd the Infidel,
And robb'd me of my Robe of Honour—well
I often wonder what the Vintners buy
One half so precious as the Good they sell.

72

चली जाती मधु ऋतु जिस काल
सूख जाते पाटल के प्राण,
अचानक होता, हाय, समाप्त
सरस यौवन का मधुराख्यान !

आज बुलबुल किसको मालूम
बिलखती-रोती उड़ किस ओर

गई, जो कल फूलों को गीत
सुनाती आई थी इस ओर !

•

Alas, that Spring should vanish with the Rose !
That Youth's sweet-scented Manuscript should close !
The Nightingale that in the Branches sang,
Ah, whence, and whither flown again, who knows !

73

हाय, प्रेयसि ! मिल हम-तुम साथ
नियति के, रच कोई षड्यंत्र,
पकड़ सकते यदि यह संपूर्ण
जगत का दुख-संकटमय तंत्र,

न क्या हम करके चकनाचूर
मिटाते इसका सत्व समूल—

बनाते एक नया संसार
हृदय के स्वप्नों के अनुकूल !

•

Ah Love ! could thou and I with Fate conspire
To grasp this sorry Scheme of Things entire,
Would not we shatter it to bits—and then
Remould it nearer to the Heart's Desire.

74

छिटकती नित जो एक समान
कुमुद-जीवन की ज्योत्स्ने, प्राण,
देख, फिर आज उदित हो चंद्र
बनाता नभ-मंडल छविमान।

हाय ! इस उपवन में यह चाँद
न जाने अब से कितनी बार

करेगा आकर मेरी खोज,
रहूँगा मैं जीवन के पार !

•

Ah, moon of my Delight who know'st no wane,
The Moon of heav'n is rising once again;
How oft hereafter rising shall she look
Through this same garden after me—in vain !

75

और तू भी शशिमुख, पदरश्मि,
तारकों-से मधुपों में घूम,
घास पर होंगे जो नभनील,
पिलाएगी मधु मदिरा झूम;

किंतु जब पहुँचेगी उस ठौर
जहाँ मैं बैठा करता साथ,

भरा मदिरा का प्याला एक
उलट देगी नतमुख, नतमाथ !

•

And when Thyself with shining Foot shall pass
Among the Guests Star-scatter'd on the Grass
And in thy joyous Errand reach the Spot
Where I made one—turn down an empty Glass!

•••

टिप्पणी

रुबाई संख्या

1. **भाजन में पाषाण फेंकना**—मरुस्थलों में प्रचलित एक संकेत, जिसका मतलब यह है कि घोड़े पर चढ़कर भागो या केवल भागो। मूल में यह नहीं बतलाया गया कि यह पाषाण क्या है। मैंने 'रवि-पाषाण' कर दिया है।

2. अनुवाद की प्रथा दो पंक्तियों के स्थान पर मूल में है, जब उषा ने अपना बायाँ हाथ नभ की ओर पसारा। 'बायाँ हाथ' उस प्रकाश के लिए प्रयुक्त हुआ है जो प्रभात होने के पूर्व दृष्टिगोचर होता है। इसे फ़ारसी में 'सुबह काज़िब' कहते हैं, जिसका अर्थ है झूठा प्रभात। सच्चे प्रभात को 'सुबह सादिक़' कहते हैं। शायद उसको उषा का दायाँ हाथ कहते। मेरे बदले हुए रूपक में दाएँ-बाएँ का भेद अनावश्यक है और रुबाई के मूलभाव में इससे कोई अन्तर नहीं आता।

4. **'ज्वलित कर मूसा का तरु-ज्योति'**—इसमें बाइबिल के Exodus. IV. 6 का हवाला है :

'And he (Moses) put his hand into his bosom, and when he took it out, behold, his hand leprous as snow.'

मूसा के हाथ के सफेद दाग़ से एक ज्योति निकला करती थी। फ़ारस में नया वर्ष, नव रोज़, वसंतागमन के साथ ही पड़ता है। एक लेखक ने लिखा है कि फ़ारस में 'Before the snow is well off the ground, the trees burst into blossom and the flowers start from the soil.' जहां हिमाच्छादित पृथ्वी से वसंत की आभा फूट पड़ती है वहां कवि का ध्यान मूसा के हाथ की ओर जाना स्वाभाविक था जिसके बर्फ़-से सफ़ेद दाग़ से ज्योति निकला करती थी।

'समीकरण ईसा का उच्छ्वास'—ईसा में मुर्दों को जिलाने की शक्ति थी। फ़ारस के लोगों का विश्वास था कि उनकी इस शक्ति का रहस्य उनकी श्वास में था। जैसे ईसा के फूँक देने से मुर्दे जी उठते थे, उसी प्रकार वसंत-समीरण के प्रवाहित होने से मृत-मूर्च्छित पृथ्वी पुनः जीवन प्राप्त करती है। जैसे कवि ने नूतन वर्ष की

नई तरु-आभा में मूसा का हाथ देखा था, उसी प्रकार वह वसंत के नवल समीर में ईसा का उच्छ्वास देखता है।

5. अरम-आराम–शद्दाद नामक राजा का लगवाया हुआ गुलाबों का एक प्रसिद्ध बाग़ जो अरब के मरुस्थल में लुप्त हो गया है।

सात चक्र वाला जमशेदी प्याला–जमशेद फ़ारस की दंतकथाओं में एक राजा है जिसके पास एक ऐसा प्याला था जिसमें सात चक्र थे जिससे सातों आसमान, सातों नक्षत्र और सातों समुद्रों का हाल जाना जा सकता था।

6. दाऊद–मुसलमान और ईसाइयों के एक पैग़म्बर जो गान-विद्या में बहुत निपुण थे।

स्वर्गीय स्वरों में–मूल में इसके लिए 'पहलवी' लिखा गया है। 'पहलवी' फ़ारस की प्राचीन भाषा थी जिसमें पारसियों की धार्मिक पुस्तक 'ज़ेंदावस्ता' लिखी गई थी और जिसे फ़ारस के लोग देव-वाणी या स्वर्ग की वाणी समझते थे।

गुलाबी उसके पीले गाल–या तो यह किसी लाल गुलाब के लिए लिखा गया है जो पीला पड़ रहा था, या किसी पीले गुलाब के लिए। फ़ारस में लाल और पीले दोनों प्रकार के गुलाब पाए जाते हैं। मेरा विचार है यह किसी पीले गुलाब के लिए लिखा गया। ख़ैयाम की रुचि संभवतः लाल गुलाबों की ओर थी। 18वीं रुबाई में वे कहते हैं–

वही होते अति लाल गुलाब
जड़ें जिनकी कर पातीं पान
गड़े अवनीपतियों का ख़ून...

7. 'काल-पक्षी के पर दिन-रात'–यहाँ दिन और रात के शुक्ल और कृष्ण पक्ष वाले काल पक्षी की कल्पना मेरी अपनी है। पं. केशवप्रसाद पाठक ने इसको 'कीर' कह दिया है!

कै़कुबाद–यह सेलजुक वंश का एक सुलतान था, जिसने समस्त एशिया माइनर पर शासन किया था और जिसकी मृत्यु सन् 1234 में हुई। यहाँ कै़कुबाद और जमशेद के नाम खास उनके लिए न लाए जाकर प्रतीक के समान प्रयुक्त हुए हैं। कै़कुबाद और जमशेद से तात्पर्य है महान विभूतियों से जिन्हें काल उसी तरह उठा ले जाता है जिस तरह साधारण व्यक्तियों को।

9. कै़ख़ुसरो–इस नाम के दो बादशाह फ़ारस में हुए हैं। एक पहले आए हुए कै़कुबाद का चाचा था और दूसरा उसका पोता। कै़ख़ुसरो का नाम भी कै़कुबाद और जमशेद के समान प्रतीक-रूप में प्रयुक्त हुआ है।

हातिम–मूल में हातिमताई है। हातिम अरब के ताई नामक फ़िरक़े का सरदार था। यह अपने अतिथि-सत्कार के लिए प्रसिद्ध था।

रुस्तम–फ़ारस का प्रख्यात मल्ल। फ़िरदौसी ने 'शाहनामा' में इसका गुणगान

किया है। अंग्रेज़ी कवि मेथ्यू आर्नल्ड ने इस पर 'सोहराब और रुस्तम' नाम की बड़ी सुन्दर कविता लिखी है। इसी के नाम पर प्रसिद्ध भारतीय पहलवान गामा को 'रुस्तमे-हिन्द' कहते थे।

10. महमूद–(995-1030) फ़ारस का तुर्क राजा। अपनी राजधानी ग़ज़नी के नाम पर यह महमूद ग़ज़नवी भी कहलाता है। उसने भारतवर्ष पर धन-लाभ और काफ़िरों में इस्लाम-प्रचार के ध्येय से कई आक्रमण किए थे। सोमनाथ पर कहे गए इसके शब्द प्रसिद्ध हैं 'बुत-शिकन न कि बुतफ़रोख़्त'–मैं मूर्ति को तोड़नेवाला हूँ न कि मूर्ति को बेचनेवाला। यह कवियों का आश्रयदाता था। इसी ने फ़िरदौसी से 'शाहनामा' लिखवाया था। ख़ैयाम के समय में इसके पराक्रम और वैभव की कहानियाँ बहुत प्रचलित होंगीं।

17. ज़मशेदी दरबार–संभवतः कवि का तात्पर्य परसेपोलिस से है जिसे तख़्ते-जमशेद भी कहते हैं। 'चेहल मीनार' (चालीस मीनार) की ओर भी संकेत हो सकता है जो मरदस्त के मैदान के सामने कोहे-रहमत को काटकर बनाया गया था।

बहराम–(420-488) यह बहराम ग़ोर भी कहलाता है। फ़ारसी 'ग़ोर' जंगली गधे को कहते हैं। यह जंगली गधे का शिकार करने के लिए प्रसिद्ध था। एक बार एक जंगली गधे का पीछा करते हुए एक गड्ढे में गिर पड़ा और वहीं उसकी क़ब्र बन गई। प्रसिद्ध है कि इसने सात रंग के महल बनवाए थे जिनमें हर एक में इसकी एक प्रियतमा रहती थी। फ़ारसी के एक कवि अमीर खुसरो ने इन सातों महलों में सात प्रणय लीलाओं का वर्णन किया है। तीन के खंडहर अब भी मिलते हैं।

इस रुबाई में Lion and the Lizard के स्थान पर मैंने सिंह और श्वान रखा है। ध्वन्यात्मक अनुवाद यही है। भाव में कोई अन्तर नहीं आता।

18. गड़े अवनीपतियों का खून–मूल में है some buried Caesar bled; तात्पर्य किसी राजा से है।

सुंबुल–यह एक प्रकार की बेलि है जिसकी पत्तियाँ बाल की तरह लम्बी और पतली होती हैं।

20. अरे, कल दूर, एक क्षण बाद काल का मैं हो सकता ग्रास–मूल में है Tomorrow I may be myself with yesterday's Sev'n Thousand Years. इसमें मैंने भविष्य की अनिश्चितता को और बढ़ा दिया है। कल मरा हुआ ऐसा ही है जैसे 7000 वर्ष पहले मरा हुआ। संभवतः मूल के 7000 वर्ष, सात नक्षत्रों के आधार पर 1000 वर्ष प्रति नक्षत्र के हिसाब से रखे गए हैं। शाब्दिक अनुवाद से भाव के दुरूह होने की संभावना थी।

22. इस रुबाई के भाव की सूक्ष्मता हम तभी समझ सकते हैं जब हम इसका ध्यान रखें कि कवि के देश की प्रथा के अनुसार मुर्दे ज़मीन में गाड़े जाते हैं। 18वीं और 19वीं रुबाई में भी ध्यान में रखने की आवश्यकता है।

28. 'लिए आया था अश्रु-प्रवाह, छोड़ता जाता हूँ उच्छ्वास'—मूल में है 'I came like Water, and Like Wind I Go.' इस पंक्ति का शाब्दिक अनुवाद बड़ा ही भोंडा होता। water मेरे लिए अश्रु हो गया है, wind उच्छ्वास; फिर, लिए आया था अश्रु-प्रवाह, छोड़ता जाता हूँ उच्छ्वास में कवि-जीवन का एक चित्र ही उतर पड़ा है। कवि अपनी वेदना लेकर आता है, यही उसका अश्रु-प्रवाह है; अपनी वाणी छोड़कर चला जाता है, यही उसका उच्छ्वास है। लिए आने और छोड़ते जाने के विरोध और छोड़ते जाने के श्लेष ने पंक्ति को और भी मधुर बना दिया। शब्द-योजना और भावों के साथ पंक्ति मुझे इतनी प्रिय लगी कि इसकी परवाह न करके कि मूल से मैं कितनी दूर चला गया, मैंने इसे रखना ही उचित समझा। जीवन-रूपी खेत को आँसुओं से सींचने और अन्त में कुछ न पाने पर उच्छ्वास छोड़ने में रूपक की पूर्णता भी मुझे दिखाई दी। पाठकों को अपनी सम्मति रखने का पूर्ण अधिकार है।

29. इस रुबाई में भी मैंने पानी की तरह आने के बजाय पानी में एक तिनके-सा लिखा है। हवा की तरह जाने के बजाय हवा में उड़ते हुए एक रज-कण-सा लिखा है। मनुष्य संसार में आने और वहाँ से जाने में जितना परवश है वह पानी और हवा से उतना व्यक्त नहीं होता जितना पानी में बहनेवाले तिनके से और हवा में उड़नेवाले कण से।

31. शनि सिंहासन—शनि सातवें आसमान का राजा है। वहाँ तक पहुँचने के लिए सातों आसमानों को पार करना पड़ता है।

41. यहाँ भी मूल की प्रथम दो पंक्तियों का शाब्दिक अनुवाद संभवतः निरर्थक होता। ख़ैयाम का तात्पर्य है कि मैंने दर्शन, गणित, ज्योतिष, जड़-जीव विज्ञान सभी सीखे पर जीवन की समस्या किसी से न सुलझी।

43. मत पंथों—मूल में इनकी संख्या 72 दी गई है। संभवतः तात्पर्य इस्लाम के 72 पंथों से है जिसमें वह बहुत जल्द विभक्त हो गया।

44. इस रुबाई में अंगूरी की तुलना महमूद से की गई है। 10वीं रुबाई पर दिया गया उसका परिचय इसका औचित्य सिद्ध करेगा।

54. फ़िट्ज़जेरल्ड की इस रुबाई ने अनुवादकों के मार्ग में जितनी कठिनता उपस्थित की है उतनी किसी और रुबाई ने नहीं की। परिणामस्वरूप हिंदी के जितने अनुवाद मेरे देखने में आए उनमें से किसी में यह रुबाई ठीक-ठीक नहीं समझी गई और इस कारण इसके अनुवाद निरर्थक, भद्दे, ग़लत और उपहासास्पद हुए हैं। इस रुबाई को ठीक न समझ सकने का एक विशेष कारण है। फ़िट्ज़जेरल्ड की यह केवल एक रुबाई है जो केवल चार पंक्तियों में समाप्त नहीं होती; उसके भाव को पूर्ण करने के लिए कुछ और शब्दों की आवश्यकता थी। रुबाई का ढाँचा उन्हें अपने में समा नहीं सकता था। फ़िट्ज़जेरल्ड ने एक सूक्ष्म चातुर्य दिखलाया। उन्होंने इस रुबाई के शेष शब्दों को आगे की रुबाई में रख दिया। हर एक रुबाई के अंत में

विराम-चिह्न है। इसके अंत में उन्होंने विराम-चिह्न नहीं रखा। रुबाई की संख्या बदल दी और जो शब्द ऊपरवाली रुबाई में नहीं आ सके थे उन्हें उन्होंने आगेवाली रुबाई में रखकर सेमीकोलन (;) दे दिया और आगेवाली रुबाई के भाव को कुछ कम शब्दों में व्यक्त किया। इस प्रकार 54वीं और 55वीं रुबाई में उन्होंने रुबाई का रूप तो रखा, पर 54वीं रुबाई का भाव चार पंक्तियों से अधिक में व्यक्त हुआ और 55वीं का चार से कम में। एक की अधिकता दूसरे की न्यूनता से संतुलित की गई। रुबाई का आदर्श तो यही है कि वह चार पंक्तियों में किसी भाव को पूर्ण कर दे। पर अनुवाद करते समय यदि यह आदर्श न निभ सके तो मैं उसे कोई अपराध अथवा त्रुटि नहीं समझता। बहरहाल फ़िट्ज़जेरल्ड ने इन दोनों रुबाइयों को इस प्रकार रखा–(ब्रैकेट मेरे लगाए हुए हैं)

54

(I tell Thee this—When, starting from the Goal,
Over the shoulders of the flaming Foal
Of Heav'n Parwin and Mushtara they flung,
In my predestin'd plot of Dust and Soul

55

The Vine had struck a Fibre;) (which about
If clings my Being—let the Sufi flout;
Of my Base Metal may be filed a Key,
That shall unlock the Door he howls without).

इस प्रकार हम देखते हैं कि 54वीं रुबाई Soul पर न समाप्त होकर 55वीं रुबाई की प्रथम पंक्ति में Fibre पर समाप्त होती है। इसका पदान्वय इस प्रकार होगा–

I Tell thee this—When, starting from the Goal, they flung Parwin and Mushtara over the shoulders of the flaming Foal of Heaven, the Vine had struck a Fibre in my predestined Plot of Dust and Soul;

Parwin और Mushtara कृत्तिका और बृहस्पति हैं। Flaming Foal of Heaven सूर्य है। शाब्दिक अर्थ इसका यह है, 'मैं तुमसे एक भेद की बात बताता हूँ, जब वे (फ़रिश्ते) लक्ष्य से प्रस्थान करके चले और उन्होंने कृत्तिका और बृहस्पति को सूर्य के कंधों के ऊपर फेंका, उसी समय मेरे पूर्व-निश्चित आत्मा और काया के पिंड में अंगूर लता की मूल जा पड़ी।' कहने का तात्पर्य यह है कि सृष्टि के प्रारम्भ में जब नक्षत्रों से नभमंडल सजाया गया, उसी समय मेरा भाग्य भी निश्चित हो गया कि जब मैं जन्म लूँ तब मैं मदिरापान करूँ। इस्लाम धर्म के अनुसार सृष्टि

के प्रारम्भ में ही प्रत्येक मनुष्य का भाग्य निश्चित हो गया है। क्योंकि ईश्वर सर्वद्रष्टा है, जो आगे होने को है वह सब जानता है और जैसा वह जान चुका है वैसा ही होगा, उमर ख़ैयाम उसी विचार का आश्रय लेकर अपने मदिरापान को उचित सिद्ध करता है। इसी भाव को वह एक दूसरी रुबाई में व्यक्त करता है जिसका अनुवाद इस प्रकार है–

God knew on the Day of creation, that I should drink wine;
If I do not drink wine, God's knowldege was ignorance.*

'ईश्वर को सृष्टि के प्रारम्भ में ही ज्ञात हो गया था कि मैं शराब पीऊँगा, अगर मैं शराब न पीऊँ तो उसका ज्ञान अज्ञान सिद्ध होगा (और यह कैसे हो सकता है?)

फ़िट्ज़जेरल्ड ने यह रुबाई सम्भवतः उमर ख़ैयाम की इस मूल रुबाई के आधार पर लिखी थी–

इसका अनुवाद अंग्रेजी में इस प्रकार किया गया है :–

Ere yet the steed of Heaven his housings bore,
or pleiades their shining jewels wore,
My lot was written in the rolls of fate,
where is my sin 'T was destiny—no more**

अर्थात् जिस रोज आसमान के घोड़े पर जीन कसी गई, और मुश्तरी और परवीं की सजावट हुई उसी दिन कज़ा के दीवान में मेरा नसीब लिखा दिया गया, मेरा क्या गुनाह है, मेरी किस्मत ही ऐसी कर दी गई।

जो भाव फिट्ज़जेरल्ड से एक रुबाई के ढाँचे में न रक्खा जा सकता था वह मुझसे भला क्या रक्खा जाता। 54वीं रुबाई का अनुवाद मैंने दो चतुष्पदियों में रक्खा

* *Rubaiyat Omar Khayyam :* translated by Edward Heron Allen from the Mss. at Bodleian Library. Nichols : London. see Quatrain No. 75.

** *Rubaiyat Omar Khayyam :* Translated by Johnson Pasha. Kegan Paul, London. Quatrain No. 285.

है। पर मुझे विश्वास है कि ख़ैयाम के भाव पूरी तरह व्यक्त किया गया है। इन दोनों चतुष्पदियों की एक संख्या रखने का यही रहस्य है।

अब, जिन लोगों ने 54वीं रुबाई के अन्त में Soul के आगे पूर्ण विराम (.) की कल्पना कर ली है उन्होंने अर्थ लगाने में भद्दी भूलें की हैं। [अफसोस है कि ऐसी छापे की गलती मुझे कई अच्छे अंग्रेजी संस्करणों में भी मिली।] उन्होंने इस रुबाई का पदान्वय इस प्रकार किया है : I tell thee this—when, starting from the Goal, over the shoulders of the flaming Foal of Heav'n they flung, Parwin and Mushtara in my predestined plot of Dust and Soul. अर्थात् मेरी पूर्व-निश्चित आत्मा और काया के पिंड में परवी और मुश्तरा को डाल दिया!! अनुवादकों ने इतना भी देखने को प्रयत्न नहीं किया कि अगर मूल का अर्थ यही होता तो flung के पश्चात् कामा (,) की कोई आवश्यकता नहीं थी। सबसे अधिक उपहासास्पद तो पं. बलदेवप्रसाद मिश्र हुए हैं। यही अर्थ करके उनके मन में शंका उठी कि आत्मा और काया के पिंड में बृहस्पति और कृत्तिका पड़ने का क्या अर्थ? और उन्होंने ज्योतिष की किसी किताब से यह अर्थ निकाला कि ये नक्षत्र जिसके भाग्य में पड़ें उसे 'कुछ थोड़ी मदिरा' पीने को मिलती है। नक्षत्रों के भाग्य में पड़ने के चक्कर में पड़कर उन्होंने इस रुबाई को मनमाना तोड़ा-मरोड़ा है। साथ ही विषय के अनुसार रुबाइयों का क्रम स्थापित करने के उतावलेपन में उन्होंने इन 54वीं और 55वीं रुबाइयों को, जो अपने स्थूल रूप में भी जुड़ी हुई हैं, अलग-अलग कर दिया! 54वीं रुबाई का नम्बर उनके अनुसार है 46, और 55वीं का 91! Goal (लक्ष्य) को उन्होंने Goal (कारागृह) कैसे कर दिया समझ में नहीं आता। मैथिलीशरण गुप्त मूल फारसी से ठीक अर्थ पर पहुँचे थे, पर गलत अंग्रेजी समझानेवाले ने उनसे भी यही भूल करा दी। पं. केशवप्रसाद पाठक बी. ए. और पं. बलदेवप्रसाद मिश्र एम.ए., एल-एल.बी., से ऐसी भूल की प्रत्याशा नहीं की जा सकती थी। श्री रघुवंशलाल गुप्त ने इन रुबाइयों का अनुवाद नहीं किया। फिट्ज़जेरल्ड की 75 रुबाइयों के स्थान पर उनके अनुवाद में 72 ही रुबाइयाँ हैं।

58. अदन के उपवन के ही साथ रचा तूने पापों का साँप–बाइबिल के अनुसार आदिपुरुष आदम और आदिस्त्री हौआ को ईश्वर ने अदन के बाग में रक्खा था, यहीं पर शैतान ने साँप के रूप में आकर उन्हें उस ज्ञान-वृक्ष का फल खाने को कहा जिसके लिए ईश्वर ने मनाही कर दी थी। यहीं से मनुष्य की समस्त चिन्ताओं और यातनाओं का आरम्भ हुआ। ख़ैयाम कहते हैं कि ईश्वर ने यह पापों की ओर ले जानेवाले साँप को मनुष्य के मार्ग में आने ही क्यों दिया?

59. रमज़ान–रोज़े का महीना। इस महीने में शराब पीना खास तौर से मना होता है।

75. पिछले दो संस्करणों में इस रुबाई का जो अनुवाद मैंने रक्खा था

उससे यह आभास होता था कि ख़ैयाम की प्रेयसी भी मरने के बाद उसे भूल जाएगी। जहाँ वह बैठा करता था अनजान, खाली प्याला उलट कर धर देगी। यह अर्थ मुझे अब गलत मालूम होता है। उमर को विश्वास है कि उसकी प्रेयसी उसे याद रक्खेगी और उसके नाम पर एक भरा प्याला जमीन पर उँड़ेल देगी। जिस समय मैने अनुवाद किया था, मूल फारसी न देखी थी। मूल की यह रुबाई देखकर मेरी धारणा बदल गई :

अर्थ हुआ, ऐ दोस्तो! जब तुम आपस में मिलो तो तुम्हें चाहिए कि अपने दोस्त को बहुत याद करो। जब उम्दा शराब पियो और हमारी बारी आए तब उलट दो।

सम्भवतः फिट्ज़जेरल्ड ने इसी का भाव अन्तिम रुबाई में रक्खा है। इस रुबाई के भी अन्तिम भाग को किसी भी अनुवादक ने ठीक नहीं समझा—"turn down an empty Glass." का मतलब है—Shall turn down an empty Glass! जो प्रेयसी 'करेगी' उसको अनुवादकों ने 'करना'—ऐसा आदेश दिया है। किसी ने जूठा प्याला उलटने को कहा है, किसी ने खाली। पं. बलदेवप्रसाद मिश्र ने मदिरा गिराने को कहा है पर अंत में 'सुखमान' लगाकर अन्याय किया है। प्रेयसी मृत उमर ख़ैयाम के नाम पर यह मदिरा ज़मीन पर उँडेलती हुई उदास होगी कि सुखी?

▢ ▢ ▢